JN004173

勝つプロ野球監督論

はじめに

プロ野球を取材するようになって、かれこれ四十年近い月日が流れようとしている。

色んなチームを取材し、様々な監督の姿を見てきたが、駆け出し記者時代に勝負の世界で勝つことの意味を強烈に焼きつけられたのは、広岡達朗（ひろおかたつろう）が率いた一九八二年の西武ライオンズだった。

当時の西武はクラウンライターから球団を買収して、本拠地を埼玉・所沢に移して四年目。最初の三年間はチーム作りの全権を委ねられた根本陸夫（ねもとりくお）が監督としても基礎固めを行い、いよいよ本格的に優勝を狙うために広岡にチームを委ねた。

その一年目が八二年のシーズンだった。

　このときのライオンズは東尾修（ひがしおおさむ）や古沢憲司（ふるさわけんじ）、松沼（まつぬま）兄弟（博久（ひろひさ）、雅之（まさゆき））らの投手陣に、打線は田淵幸一（たぶちこういち）、山崎裕之（やまざきひろゆき）に大田卓司（おおたたくじ）、片平晋作（かたひらしんさく）、ルーキーの石毛宏典（いしげひろみち）ら、力はあるがひと癖もふた癖もある選手が揃（そろ）っていた。しかしどこかまとまりに欠けるチームで、それぞれの選手が勝手気ままにプレーをし、それが偶然、嚙み合えば圧倒的な力を発揮する。しかし多くの試合ではチームの方向性がバラバラとなって、せっかくの才能も十分に生かされないような集団だった。

　そんなチームに広岡は徹底的な管理野球で一つの進むべき道を示したわけである。

　その道とは勝つことであり、そのためのチームプレーだった。

　キャンプでは個人の打ち込みの時間を削って、徹底的な守備の基本練習を繰り返し、チームプレーやサインプレーの反復練習にも時間を割いた。シーズンが始まっても個人記録は二の次だった。阪神時代には巨人・王貞治（おうさだはる）の連続本塁打王記録にストップをかけたスラッガーの田淵に送りバントやヒットエンドランのサインを平気で出し、勝ち星目前の五回二死でマウンドの東尾からボールを奪い取って交代させたこともあった。

私生活でも食事制限を含めた体調管理の徹底を求め、門限を破ったり、規律に反した選手はすぐさま二軍に落として干し上げた。

当然のようにベテラン選手を中心にチームに不平不満が充満した。しかしそんな不穏な空気も、シーズンが始まってしばらくするとすぐに薄れていった。

理由は簡単だった。

万年Bクラスだったチームが強くなったからだ。

その年のパ・リーグは前後期二シーズン制で、その前期シーズンで広岡西武は開幕直後から首位を走り、最終的に二位・阪急に二ゲーム差をつけて優勝した。後期シーズンは日本ハムに優勝を譲ったものの、プレーオフでその日本ハムを破り日本シリーズに進出。日本シリーズも中日を四勝二敗で下して、なんと西鉄時代の五八年以来、実に二十四年ぶりの日本一へと上り詰めてしまったのである。

この年からチームの礎が築かれ始め、広岡の後を継いだ森祇晶の指揮の下に、八〇年代後半から九〇年代前半にかけて西武は黄金時代を迎える。

「全ては広岡さんに教えてもらった」

こう語るのは黄金時代の正捕手だった伊東勤（現中日ヘッドコーチ）である。伊東だけではない。

西武黄金時代を支えた石毛宏典、秋山幸二、辻発彦に工藤公康や渡辺久信ら、主力選手のほとんどは広岡の薫陶を受け、勝つ野球と勝つことの喜びを叩き込まれた選手たちだったのである。

田淵や東尾の不平不満を封じ、チームを一つにまとめ、その後を支える人材を育てたのは、まぎれもなく広岡の勝つ野球と勝つ組織作りの結果だった。

「全ては勝つことで解消するし、勝つことでしか解消できない」

こう語っていたのは二〇〇九年の第二回ワールド・ベースボール・クラシック（ＷＢＣ）で日本代表チーム「侍ジャパン」を率いて、世界一となった原辰徳である。

このときの日本代表は結成前から北京五輪の代表監督だった星野仙一（ほしのせんいち）の就任を巡って主力の一人だったシアトル・マリナーズのイチローとの意見の相違が表面化するなど混乱に満ちたスタートだった。大揺れに揺れた監督人事は、最終的には原の就任で決着したが、大会が始まるとイチローも大不振で、チームは何度も窮地に見舞われる場面があった。しかしその中で決勝戦まで勝ち進むと、最後はイチローが決勝打を放って、宿敵の韓国を撃破して世界一連覇を達成している。

紆余曲折（うよきょくせつ）を経たチームだった。それでもチームを率いた原は勝つことで選手もチームも、そして世論も納得し、納得させることができたと語っていたのである。

新型コロナウイルスの感染拡大が続く中で、二一年は一年延期となった東京五輪が開催を迎える予定である。

五輪開催そのものに様々な論議があるが、開催されれば野球にとっては〇八年の北京大会以来、三大会ぶりの五輪競技への復帰であり、日本選手団にとっては金メダルを狙える有力競技として大きな期待がかかる。そしてコロナ禍の暗い世相を吹き払うためにも、ファンが待ち望んでいるのは勝つことで、稲葉篤紀監督率いる日本代表チーム「侍ジャパン」に託された使命は大きい。

勝者となる組織を作るためにリーダーは何を考え、どう決断し、どう行動しなければならないのか。そこで本書では過去のプロ野球の名将たちの足跡を辿りながら、勝利への監督論と組織論を考える。

目次

1

監督・長嶋茂雄とはどんなリーダーだったのか

監督・長嶋茂雄とはどんなリーダーだったのだろうか。

「長嶋さんは僕がこれまで見てきたどの監督とも違う監督だった」

こう語るのは巨人時代に長嶋によるマンツーマン指導を受けて、日本を代表するスラッガーとなった松井秀喜である。

松井は巨人入団一年目から試合が終わると東京・田園調布にある長嶋の私邸を訪れ、地下にあるスイングルームで直接指導を受けた。

「まず監督がバットの先でミートポイントを指してコースを指定するんです」

そこに向かって松井がバットを振るのだが、長嶋は打つ瞬間までミートポイントを指すバットを構えていて、当たる直前に引く。

「僕よりも監督の方が集中力が必要だったと思います。一歩、間違えたら大変なことになるし、実際に一度だけスイングが監督のバットに当たったこともありました。でも、その集中した状態でずっと僕のスイングを見てくれる。大変な精神力だったと思います」

二人で追い求めた究極のスイングは、ボールがミートポイントに来た瞬間にバットを振り出して捉えられるスイングを身につけることだった。

「物理的には不可能なんですけど、それくらい究極的にボールを見て呼び込み、そこから強く打ち返せるくらいのスイングスピードを身につけることでした」

そのあり得ないスイングを目指して日夜、二人のマンツーマン練習は続いた。常人では想像できない領域にイマジネーションを広げて、可能性を追い求める。それが長嶋のリーダーとしての一つの資質だったのである。

普通では思いも寄らないような発想から生まれる様々な戦術、用兵に、巨人監督時代には選手がついていけずに不平不満が出ることもしばしばあった。松井もそういう場面を何度か目撃したことがあったと言う。

「先輩たちが色々と長嶋さんのことを言うのを聞いたことがありましたが、僕はそういう場面を見たり、話を聞くたびに思っていたことがありました」

松井は言う。

「それは『ナニ言ってんの。だって長嶋茂雄だよ』って。それが全てでしたね」

天才こそが天才を知る。

ある意味、この松井の言葉が指導者としてだけでなく、長嶋茂雄という人間の全てを表しているとも言えるのかもしれない。

「私はブックベースボールはしない」

一九九三年のシーズンに巨人の監督に復帰した長嶋が、よく口にしていた言葉だ。

V9を達成した川上哲治の後を受けた第一次政権のときから、長嶋の野球はそれまでのセオリーに縛られない破天荒なものだった。

中でも有名なのは、七七年四月十九日の甲子園球場での阪神戦で見せた一つの采配である。

二対三と一点を追う九回二死。土井正三が出塁すると、長嶋はすかさず代走にルーキーの松本匡史を送った。そして次打者・山本功児の二球目に松本が二盗に成功。直後の山本の中前タイムリーで巨人は同点に追いついた。

終盤の同点ないし一点を追う二死一塁からの盗塁は、いまなら当たり前の作戦だが、当時のセオリーでは、ここで一塁走者を走らせるということはあり得ないものだったのである。

「成功したからよかったものの、盗塁を失敗してアウトになったら何も起こらずにゲームセットになるギャンブル采配。あの場面では打者に託して長打が出れば同点、単打が出ても一、二塁か一、三塁とチャンスが広がる。打たせればエラーもあるかもしれないのだから、ベンチは動くべきではない」と当時の評論家からは猛批判を浴びた。

しかし打者は打っても三割である。長打や連打が出る確率はさらに低い。それなら盗塁のスペシャリストにかけて走者を得点圏に進め、単打一本で同点に追いつけるシチュエーションを作る。

それが長嶋の発想だった。

結果的に長嶋が先鞭（せんべん）をつけたこの作戦は、いまやゲーム終盤の攻撃側のセオリーの一つとなっている。ある意味、長嶋が作り出した戦術と言ってもいいのかもしれない。

このように「野球の指導書」に書いてある常識的な作戦に囚（とら）われるのではなく、状況と選手の力量を考えながら縦横無尽にタクトを振るう。セオリーとは作り出していくもので、「ブックベースボール」を超えたところに長嶋野球の真骨頂はあった。

これは経済界でも先例に囚われない独創的な発想力と実行力で企業を急成長させていったソフトバンクグループ・孫正義会長兼社長やユニクロを傘下に置くファーストリテイリングの柳井正会長兼社長、セブン&アイ・ホールディングスの鈴木敏文名誉顧問らのカリスマ経営者たちと共通する部分かもしれない。

そんな選手もたじろぐチームマネジメントを支えているのが指導者の存在感、松井が語る「だって長嶋茂雄だよ」というカリスマ性にあるわけだ。圧倒的なリーダーの存在感が、独創的なマネジメントを成功へと導いていく。そういう強力なリーダーシップも多くのカリスマ経営者たちの姿と同じだった。

こうしたカリスマリーダーたちが最も力を発揮するのは、伸るか反るかという組織の命運をかけた大勝負の局面だ。

九四年十月八日、同率で迎えた中日との最終戦直接対決でペナントの行方を争った「10・8決戦」は、まさにそんな長嶋のカリスマ性が存分に発揮された試合だった。

この試合を「国民的行事」と規定した長嶋は槙原寛己、斎藤雅樹、桑田真澄という当時の三本柱を惜しげもなく投入する非常時采配でゲームの主導権を握った。一方、中日を率いた監督の高木守道は、先発のエース・今中慎二に全てを託し、その今中が打たれて追いかける展開になると、先発二枚看板のもう一人だった山本昌広（現・昌）や抑えのエースだった郭源治を温存して〝普段通り〟の継投で敗れ去った。

「10・8決戦」とは、まさに明暗を分けた両監督の采配、リーダー力の差がクローズアップされた試合でもあったのだ。

もちろんこの試合では、三本柱を投入した継投だけでなく、松井に送りバントをさせるなど、随所に「特別な試合」として振るったタクトがあり、その一つ一つが最後の勝利を紡いでいくことになった。ただ、こうしたグラウンド上の采配、用兵とは別に、長嶋がこの試合で最も重きを置いたのは、選手の力をいかに十全に発揮させるかということだった。プレッシャーを感じるなというのはムリな試合で、そのプレッシャーの中でいかに選手の力を引き出すか。そういう精神面のケアだったのである。

最初の監督を退いた後の浪人時代に、オリンピックや世界陸上の取材を通じて、長嶋は熱心に欧米の先端スポーツ事情を学んだ。中でも勝負に臨むメンタル面の重要性に着目して、巨人の監督に復帰すると米国のスポーツ心理学の権威を招き、選手たちのカウンセリングを行うなどもしている。だからこそ長嶋がこの追い詰められた局面で注力したのが、選手の心をいかに平常心に近くコントロールするかということだったのである。

「10・8決戦」では東京から試合を行う中日の本拠地・名古屋に移動する新幹線での様子が「まるで戦場に向かう兵士をのせたような重苦しさだった」（松井）というくらいに、選手たちは重圧に押し潰されそうな精神状態にあった。

そんなムードを払拭したのが、試合前の宿舎で行われたミーティングだったのである。

「ここ尾張名古屋は、あの桶狭間(おけはざま)の戦いが行われた由緒ある地だ」

こう語り出した長嶋はわずか三千人の織田信長軍が総勢二万五千人を擁した今川義元の軍を打ち破ったこの戦を引き合いに、圧倒的に不利な状況と言われた巨人が織田軍であると選手に語りかけた。

当時の宿舎だった「名古屋都ホテル」の宴会場は選手とスタッフの熱気に満ち、天井が低かったことが余計に長嶋のやや甲高い声を響き渡らせた。

そして最後に語りかけたのが有名な「勝つ三連発」の掛け声だった。

「勝つ！　勝つ！　勝つ‼」

全員でこのフレーズを叫んで宴会場を出たときには、選手たちは一種の催眠状態となって重圧から解き放たれていたのである。

「内容は全てアドリブ。いかに自分たちが勝つ、今中を打つという気持ちを持たせるかですから。そのためにはああだ、こうだ言うんじゃなくて、言葉は短い方がいい」

長嶋はミーティングの意図を説明した。

「あのミーティングで一気に我々の闘争心に火がついた感じでした。監督の言葉一つであれだけ選手たちに勇気と自信を与えることができる。自分が巨人やWBCの監督をやったときに、あのときの長嶋さんのミーティングというのは、一つのお手本になるものだったと思います」

こう振り返るのは現巨人監督の原辰徳だ。

結果的には終始、試合をリードした巨人が六対三で中日を倒して、長嶋は監督復帰後、最初のリーグ制覇を成し遂げる。そして日本シリーズでも巧みな選手操縦術で、森祇晶が率いる黄金期の西武を破って日本一まで上り詰めた。

「全て監督の言う通りになった」

シリーズを振り返った槙原寛己の言葉だ。

リーダーとは煽動者(せんどうしゃ)でなければならない。

これはカリスマ指導者の持つ言葉の力を示す事例であり、その意味を十二分に理解していた長嶋の特長の一つだった。

そんなカリスマ性に期待して巨人の監督を退いた長嶋に回ってきたのが、二〇〇四年のアテネ五輪の野球日本代表チームの監督という仕事だった。

オリンピックの野球では〇〇年のシドニー大会で初めてプロアマの混成チームが結成されたが、プロ側の足並みが揃わずに西武の松坂大輔投手らパ・リーグの選手を中心とした派遣に留まった。結果は準決勝でキューバに敗れてメダルを逃した。そこで日本野球界にとり悲願の金メダル獲得に向けて、アテネ五輪では初めてオールプロによる〝ドリームチーム〟が結成された。

その監督を長嶋が託されたのである。

本大会前年の〇三年十一月には札幌ドームでアジア予選決勝リーグが行われ、長嶋ジャパンは宿敵・韓国を破る三戦全勝で五輪切符を手にした。

「長嶋さんの決断の早さには驚きました」

こう語るのは代表チームの主将を務めた元ヤクルトの宮本慎也だった。

「小笠原（道大、現日本ハムヘッド兼打撃コーチ）を最初は三番で起用したのに、打てないと見たらすぐに八番に下げた。なかなかああは即断できないなと思いました」

このときの小笠原は二年連続首位打者を獲得し、チーム編成の段階から中心打者として期待されていた選手だった。しかし、開幕前の強化試合から絶不調で、初戦の中国戦は三番で四打数無安打に終わると、第二戦の台湾戦では打順を下位の八番まで下げたのである。

巨人の監督に復帰したときに、原が「長嶋さんはドライ」と評した勝負に徹する非情さは、一発勝負の国際試合では、より強く発揮されることとなった。

「普通の監督だったら批判されてもおかしくないところですが、そういう批判を許さないようなカリスマ性というのは長嶋さんだからだと思いました。でも、全員が長嶋さんのためにと思って戦っていた。それも長嶋さんだからだったと思います」

宮本はこう振り返っている。

監督には二つのタイプがある。

一つは緻密な戦略を立てて少ない戦力でもやりくりしながらチーム成績を向上させていくタイプで、代表的な存在が南海、ヤクルト、阪神、楽天で監督を務めた野村克也(のむらかつや)だ。本人も語っていたように弱小チームを率いて巨大戦力に挑ませると最大の力を発揮できる指導者でもあった。そしてもう一つはある程度、整った戦力の中で選手の力を最大限に引き出し、チームを勝利へと導ける監督だ。その代表的な存在が長嶋なのである。こちらのタイプは常勝を義務づけられた巨人や負けることが許されない日本代表チームなど、ある程度の戦力が整っているが、何より選手が大きな重圧を感じながら戦うチームを率いてリーダー力を発揮できるタイプと言えるだろう。

アジア予選決勝リーグを勝ち抜き、アテネ五輪の出場権を獲得した長嶋は、翌〇四年三月四日に脳梗塞で倒れ、その後は長い闘病、リハビリ生活を余儀なくされることになる。監督不在となった日本代表は、代行を務めた中畑清(なかはたきよし)の奮闘も虚(むな)しく準決勝で豪州に敗れて、悲願の金メダル奪取はならず銅メダルに終わった。

金メダルのためにはどうしても強力なリーダーが求められた。そして〇八年の北京大会でその大役に任ぜられたのが、中日、阪神でカリスマリーダーとして高い評価を得ていた星野仙一だったのである。

命運かけた大勝負で最も力を発揮した

2 工藤公康はどうして短期決戦で勝てるのか

二〇二〇年の日本シリーズは、ソフトバンクが前年に続いて巨人を四連勝でスイープ。圧倒的な強さで四年連続の日本一に輝いた。

ソフトバンクの工藤公康は監督として一五年のヤクルトとの対決から日本シリーズに五度出場して、その全てで日本一となっている。シリーズ成績は通算二十勝で、負けた試合はわずかに四試合だけ。直近の三年では一八年の広島とのシリーズで初戦を引き分け、二戦目に黒星を喫して以来、十二連勝という圧倒的な強さを誇っている。

工藤が現役をスタートした西武で一九八六年から監督に就任し、黄金時代を築いた森祇晶は、日本シリーズ八度の出場で六回、頂点に立っている。また現役、コーチ時代を含めて日本シリーズ二十連勝という〝記録〟を持ち、「短期決戦の鬼」と称された。それでも監督としての通算成績は二十九勝二十敗である。

そのことを考えるといかに工藤の成績がずば抜けているか。もちろんクライマックスシリーズという制度的な問題もあるが、監督生活六年でリーグ優勝は三回ながら日本一は五回という異例の数字が、森を上回る「短期決戦の鬼」ぶりを象徴するものとなっている。

なぜこれほどまでに工藤は短期決戦に強いのか。その源流は西武入団時代から薫陶を受けた広岡達朗と森祇晶の影響、その広岡野球、森野球の源流にあるV9巨人の川上哲治の組織論に見て取れる。

広岡が西武の監督に就任したのは八二年。前年のドラフト六位で入団した工藤は、高卒一年目のこのシーズンから一軍に抜擢(ばってき)された。当時は広岡から「坊や」

と呼ばれ可愛がられ、傍らでその監督としての立ち居振る舞いをつぶさに見て育った。

広岡は監督就任直後からぬるま湯体質だった選手たちの意識改革を全面的に掲げ、基本プレーの習得、勝つためのチームプレーの徹底を推し進めた。

そのためベテランのスター選手だった東尾修や田淵幸一らとの軋轢も生まれたが、そうしたベテランに忖度することなく、実力主義で選手を起用。だからこそプロ一年目の工藤にも一軍で活躍するチャンスが巡ってきていたのである。

「必要とあらば非情になれることが監督として絶対に必要な条件。工藤はそれができる。普通の顔をして鬼になれるところに、彼の監督としての資質を感じる」

評論家時代の巨人・原辰徳監督が二〇一八年の日本シリーズ後に語っていた工藤評だった。

このシリーズでは二勝一敗一分けで迎えた第五戦の四回無死一、二塁でベテランの内川聖一に送りバントのサインを出し、王手をかけた第六戦ではチームリーダーの松田宣浩を不振と見るや躊躇なく先発メンバーから外した。目的のためには、実績あるベテランといえども忖度せず、非情な采配で勝利を手にしている。

その原と二度目の対戦となった二〇年の日本シリーズでは、本拠地初戦となった第三戦で巨人打線を無安打に抑え込んでいた先発のマット・ムーアを七回でスイッチする思い切った決断を見せた。

「どうしても勝ちたかった。このＰａｙＰａｙドームで負けるわけにはいかないという思いがあったので。すみません。七回で代えさせてもらいました」

こう語った工藤は点差がある中でも八回にはリバン・モイネロ、九回からは守護神の森唯斗を投入する万全リレー。九回二死から森が丸佳浩に中前安打を許し、継投によるノーヒットノーランの記録も逃したが、そういう記録より勝つことを優先した采配に徹した。

それは〇七年の日本シリーズで完全試合目前の山井大介を八回で降板させ、確実に勝利を手にするために九回に岩瀬仁紀を投入した中日の落合博満を彷彿とさせる鬼の決断だった。

日本シリーズとはチームが勝って初めて価値が生まれる戦いである。だからこそ勝利に向かって一直線に進むことこそが何よりも最善手であるという考えだ。そこには個というものはない。

いきおい選手との関係は非常に緊張感が高く、決して慕われる存在ではない。むしろ怖がられる監督である。

そういう部分はまさに川上や広岡とそっくりだった。

二〇年のシーズンもそんな工藤の〝非情〟が話題となった出来事があった。

「一軍で一打席もチャンスがもらえず、自分の中で野球を辞める決心がつかなかった」

十一月一日。この日行われた二軍の最終戦後にファンに向けて挨拶を行った内川聖一は、今シーズンの鬱積した気持ちをマイクを通して語った。

一一年に横浜からフリーエージェントでソフトバンクに移籍。過去には首位打者二回、最多安打二回などプロ野球界を代表するヒットメーカーとしての実績を残してきた。秋山幸二監督時代からソフトバンク黄金時代を支えてきた貢献者の一人で、日本球界を代表するバットマンとして、WBCなどでも日の丸を背負って活躍してきた。

工藤監督の下でも一七年の古巣DeNAとの日本シリーズでは三連勝から連敗して、負ければ逆王手をかけられる第六戦で、一点を追う九回一死から起死回生の同点本塁打。この一打で生き返ったチームは延長十一回にサヨナラ勝ちでシリーズを制している。

ところが二〇年は一年間、二軍で塩漬け状態に置かれた。最終的には一度も一軍でプレーするチャンスを与えられなかったことで、新天地を求めて移籍を決断したのである。

このとき、三十八歳。確かにここ数年のシーズン成績は下降線を辿り、一九年は百三十七試合に出場して打率二割五分六厘と低迷。オフの契約更改では、二〇年の成績次第で身を退く覚悟を語るなど出処進退にも言及していた。

二〇年はコロナ禍の中で三か月遅れとなった開幕時点では、調整面での出遅れから二軍スタートだった。しかしその後は徐々に調子を上げて結果を残してもいた。一時はファームで四割六分を超える数字をあげていたが、「二軍から推薦がない」という理由で工藤は昇格を見送っている。十月には同じく不振で二軍落ちして一向に成績の上がらないウラディミール・バレンティン外野手を一軍に上げたが、内川については「最近の成績があまり良くない」と九月の月間打率が二割六厘だったことを理由にやはり昇格を見送っている。

いずれにしても工藤はもはや内川を使う考えがないのは明らかな処遇で、背景には両者の確執があることを指摘する声もある。

監督就任当初にキャプテンだった内川が、何度か選手起用を巡って直談判を行ったことがあった。それ以来、二人の関係は決して蜜月というわけにはいかず、それでも力があるうちは工藤も使い続けた。しかし内川の力に衰えが見えた瞬間に、工藤は若手への切り替えを決断したという声も聞こえている。
結果としてチームの若返りは確実に進んだ。内川がいなくなった一塁に中村晃が回ったことで、外野の一角にポジションが空き、そこに入ったのが、打撃力を買われて工藤に捕手からコンバートされた栗原陵矢だった。その栗原が日本シリーズの第一戦で巨人の絶対エース・菅野智之から本塁打を含む三安打、四打点を叩き出すなどしてシリーズMVPに輝いたのは記憶に新しい。

もちろんこうしたベテラン選手の冷遇にチームの内外から批判の声はある。ただ、チームを強くするために新陳代謝は必須である。たとえ過去の功労者といえども容赦なく切り捨てて、世代交代を推し進める。その決断力が組織に新しい息を吹き込むことも確かなのだ。

まさに工藤の監督としての背骨がそこにあり、それは広岡を通じて学んだ川上の組織管理の方法なのである。

「ON以外の選手は、一つでもミスをすればいつ二軍に落とされるのかといつも恐怖に怯えていた」

こう川上監督時代の巨人を語るのはV9のエースと呼ばれた堀内恒夫である。

堀内の思い出話。

旧後楽園球場の選手ロッカーは一塁側ベンチから狭い通路を下りて、そこから階段を上がった中二階にあった。試合に惨敗して選手は重い足取りでそのロッカーに戻ると、ユニフォームを脱いでもしばらく風呂にも入らず、あることを思って聞き耳を立てていたという。

「誰かがファーム落ちを通告されるんじゃないか。打たれた投手、打てなかったバッター、ミスをした選手がビクビクしていた。すると革靴で階段を上がってくる音がロッカーに聞こえてくるんだよ」

それは当時のマネジャーの山崎弘美の足音だった。

「その靴音が聞こえて、山崎さんが扉を開けると誰かが二軍に落ちる。だから選手はみんな聞き耳を立てて、その靴音がしなかったら安心して風呂に入るんだ」

そんなことを全く気にしなかった（気にしなくてよかった）のは現ソフトバンク球団会長の王貞治と巨人軍終身名誉監督の長嶋茂雄のＯＮコンビだけだった。

「だから二人はいつも一番風呂に入っていたね」

堀内はこう言って首をすくめた。

選手を常に競争で追い立て、そのエネルギーをチームの勝利に結びつける。

この競争原理が組織を強くするという信念でチーム作りを行っていった。

「ようやくレギュラーをとったと思ったら、すぐそこにトレードや新人でライバルを当てられる。そのたびに『なぜ？』と、本当に川上さんを憎んだものだった」

こう川上の競争原理を振り返るのは森だった。

Ｖ９の頭脳と称されチームの勝利には欠かすことのできない存在だった森だが、ただ一つの欠点は打てないことだった。入団五年目の一九五九年にレギュラー捕手としてのポジションを確立したが、第一線で活躍したその後の十六年間の最高打率は六七年の二割七分八厘。六〇年と六三年にはそれぞれ一割九分七厘、一割九分八厘と一割台の低打率を記録してもいる。そのため川上はその間に慶大で強打を誇った大橋勲（おおはしいさお）、東都大学リーグで四割をマークした東洋大の宮寺勝利（みやでらかつとし）、甲子園で注目を浴びた市立神港高校の吉田孝司（よしだたかし）、東京六大学リーグの三冠王に輝いた立大・槌田誠（つちだまこと）と次々とライバル捕手を獲得しては森と競わせた。

そうされた森もまたその競争原理、ベテランにも忖度しない選手起用でチームを活性化し、最強の組織を作り上げて西武の黄金時代を築き上げた。

工藤はそういう西武の強さの秘密を内側から見て、体感して、組織のトップとしての鉄則を学んだのである。

その競争原理とソフトバンク球団の強固な組織論が相まって、令和の最強軍団を作り上げることに成功したと言える。

ただ、川上が監督としてやり遂げたＶ９には、そういう競争原理や鉄の管理と同時に、もう一つ、大事な秘密があったことも忘れてはならないだろう。

それは既成概念に囚われず、チーム強化に必要と思えば、どんどんと新しいものを取り入れてチームを活性化させていったことだ。

「川上さんの野球と言えば『石橋を叩いても渡らない』と言われたように、手堅い守りの野球、ある意味、非常に保守的というのが世間のイメージかもしれません。でも、私の中の川上さんにはもう一つ、別の監督像というのがあるんですね」

こう語るのは二〇二〇年九月十一日に川上の持つ監督通算の巨人の球団最多勝利記録を抜く千六十七勝をマークした原だった。

原が抱くもう一つの川上の姿とは時代の流れに先駆け、新しい野球のスタイルを築き上げた先駆者としての監督像だ。

ブロックサインやバントシフトなどロサンゼルス・ドジャースの戦法をいち早く取り入れ、一九六一年には実際にドジャースとフロリダ州ベロビーチで合同キャンプを実施し、練習法や作戦について徹底的に学んだ。

当時の日本球界では思いも寄らない画期的な挑戦だったはずである。

そして結果的にはそのときに川上が日本に持ち込んだ野球が、その後の昭和から平成に至る日本球界のスタンダードを形作るものとなっていくわけである。

そういう先駆けの精神、固定観念に囚われず、失敗を恐れずに新しいものにチャレンジしていく信念は、まさに原が指導者の原点として考える思想と同じだった。

近年の野球は、昭和の時代のエースが投げて四番の一発で勝つというオーソドックスなスタイルから大きく様変わりしている。得点が三点以内で勝てる試合は稀(まれ)で、一対〇、二対一、三対二といった僅差の投手戦はほとんどなくなっている。

とにかく打てないチームは勝てない。

「どの監督もまず投手力と言うけれど、まず打線が点を取れないと勝てないのがいまの野球です」

こう語っていたのは元巨人コーチの井端弘和だった。
先発投手が多少打たれても打線が五、六回までに五、六点取って、それを継投で守って逃げ切る。そのためにはまず点を取るために、ベンチが攻撃のバリエーションをどれだけ持っているかにかかるわけだ。かつての監督は投手交代、継投策が最大の仕事だったのが、攻撃の采配で問われる時代になったとも言えるだろう。

こうした野球スタイルに合わせて最初に様々な手を打ったのが原だった。三度目の監督に就任した一九年のシーズンには〝攻撃的二番打者〟として坂本勇人を起用。二〇年も先発投手の中五日での起用を模索し、物議を醸した内野手の増田大輝の投手起用なども、これまでの日本球界の〝常識〟では、なかなか踏み込めない新しい試みだった。

そういう意味では原が目指すものは、オーソドックスないままでの野球をベースにしながら新たな野球観、新しい戦術、戦略への挑戦、日本の野球のニュースタンダードの創出でもあるわけだ。

そして工藤もまたいち早く、新しい野球のスタンダードへとゲームマネジメントを変えていっている。

二〇一〇年のシーズンでも当初はつなぎの二番として今宮健太を起用したが、その今宮が不調と見ると柳田悠岐、ジュリスベル・グラシアルらこれまでクリーンアップを任せてきた打者を二番に抜擢し、シーズン終盤にはやはりクリーンアップ経験のある中村晃を固定。日本シリーズでも初戦のダメ押しタイムリーに始まり、第三戦の先制ツーラン、第四戦では柳田の逆転ツーランを呼び込む二塁打など、〝攻撃的二番打者〟が機能したことが、シリーズの流れを摑む一つのきっかけとなっている。

セ・リーグでこのニュースタンダードの野球で他球団を圧倒していたのが原采配だった。しかし日本シリーズは同じスタイルで指揮する工藤を相手に、その新しい野球はアドバンテージとはなり得なかったのである。

なぜこれほどまでにソフトバンクと巨人には差がついてしまったのか。

原はかねてから「指名打者制度（ＤＨ制度）」によるリーグ間格差の問題を指摘していた。ただ、結果的にこれほどまでに圧倒的な差がついた理由はそれだけでは説明できない。個々の選手の力の違い。そうなると選手の発掘力、スカウティングの問題である。また育成力の差であり、選手層の厚さの違いもあった。それは現場だけではなく球団としての組織力の違いへと帰結することになるのだろう。

采配で忖度しない。新しいもので活性化

3 藤田元司と仰木彬はなぜ名将たり得たのか

二〇二一年一月十二日、巨人がOBで解説者の桑田真澄の一軍投手チーフコーチ補佐就任を発表した。

桑田にとっては〇六年に巨人を退団して以来、十五年ぶりの古巣復帰。新たに着るユニフォームの背番号は、桑田の恩人とも言える元監督の藤田元司(ふじたもとし)がつけていた「73」となった。

「藤田さんに恥じないように、指導者としてもエースになれるようにやっていきたい」

就任会見での桑田の誓いは、二人の壮絶な関係を考えると印象的である。

藤田が二度目の巨人監督に就任したのは、桑田がプロ三年目のシーズンを終えた一九八八年オフだった。

すでに二年目の八七年にいきなり十五勝をマークした桑田は、この年も連続二桁勝利となる十勝を挙げて、中心投手としての地位を確立していた。

ところが監督に就任した藤田が最初にやろうとしたことは、その先発の柱の桑田をクローザーとして起用することだった。

当時の巨人のクローザーは鹿取義隆（かとりよしたか）だったが、登板過多による勤続疲労から八八年の防御率は前年の一・九〇から三・二〇と急激に悪化。大事な場面でリリーフ失敗を繰り返すなど、不安定さが目立つようになっていた。

そこで藤田が目をつけたのが、桑田だった。

八八年の桑田は確かに先発で十勝をマークしていたが、藤田が気になったのは負け数の十一という数字だった。完投数は前年の十四試合から五試合に激減。好投しながらも、中盤で崩れて打ち込まれるケースが多い。そこで桑田の持つ力をより生かすために、短いイニングを任せるクローザーで起用してはどうかと考えたのだった。

ところがこれに猛烈に抵抗したのが桑田本人だったのである。

藤田が桑田を呼び出しサシで説得を行っても、桑田はあくまで先発にこだわり、藤田のクローザー転向要請に頑として首を縦に振ることはなかった。激怒した藤田だったが、最終的には藤田が折れる形でクローザー転向の話は立ち消えとなった。

「桑田は先発じゃなければピッチャーじゃないくらいの勢いだったんだよ。あいつはほんとに頑固だ」

このときを振り返って、後に藤田がこう述懐するのを聞いた。

ただ頑固を貫いた桑田は意地を見せる。

八九年は登板した三十試合全てに先発して二十試合で完投を記録。最終的には十七勝九敗の成績で、藤田の監督復帰一年目のリーグ優勝、日本一奪回に貢献した。

こうして本格的にエースへの道を歩み出したが、そこで再び起こったのが出入りの運動具業者の元担当者が書いた暴露本騒動だった。

九〇年の開幕前に出版されたこの本で桑田が常習賭博罪で有罪判決を受けたことのある人物に登板日を教えた可能性を示唆する内容や、その人物が経営するメンバーズクラブに会員を勧誘した謝礼として金品を受け取っていたことなどが書かれ、「登板日漏洩（ろうえい）疑惑」として大騒動となった。当初、桑田は登板日を教えていたことや金品授受を否定。しかし巨人の調査でこれが虚偽であることが発覚し、騒動はさらに大きくなった。

この事実に巨人の親会社・読売新聞社の最高実力者だった務臺光雄（むたいみつお）（当時読売新聞社名誉会長）が激怒し、桑田への厳罰を指示。巨人は一年間の出場停止と罰金一千万円の処分を下すことを決めた。

それを阻止したのが藤田だったのである。

処分について務臺と直談判した藤田は「もし一年間の出場停止処分を下したら、ペナントレースを勝てないし、桑田は死んでしまう」と〝読売のドン〟に体を張って抵抗した。その結果、務臺が折れる形で処分は開幕から一か月の出場停止と罰金一千万円で落ち着くことになったのである。

その恩義に応えるように復帰後の桑田はブランクをものともしない好投を見せ、最終的には十四勝七敗、防御率二・五一の好成績でチームのリーグ連覇に貢献した。

藤田が動いたことで桑田は野球選手としての最大のピンチを切り抜け、その後は本当にエースへの道を歩むことができた。

その後も義兄の投資失敗による多額の借金騒動など、当時の桑田の周辺はトラブル続きだったが、そのたびに藤田は陰に陽に桑田の盾となって守ってくれた。

まさに桑田にとって藤田は大恩人の一人である。

「藤田さんというのは短気ですぐカッとなる人でしたけど、根底には温かさがある。だから怒った人の面倒は最後までみる。そういう優しさを内に持った監督さんでしたね」

こう振り返るのは巨人入団のときから藤田の薫陶を受けた現巨人監督の原辰徳だ。

原には忘れ難い藤田との思い出がある。

巨人入団一年目のことだ。

甲子園大会、大学球界のスターとしてドラフト一位で巨人に入ってきたが、原が守ってきた三塁にはすでに中畑清がレギュラーとしていた。そこで藤田は原を二塁にコンバートすることを決めた。

宮崎キャンプ。連日、二塁の守備練習を行っていると、いままでと逆モーションで一塁に送球しなければならないために、慣れない動きの負担から原は肩を痛めてしまった。併殺プレーで二塁のベースカバーに入って、体を反転させながら一塁に送球すると激しい痛みが襲うようになっていた。

ただ、そのことを原は首脳陣を含め誰にも報告せずに、我慢して練習を続けていた。

「するとある夜、僕の部屋を藤田さんが訪ねてきたんです」

部屋に入ってくると藤田はいきなり「タツノリ、シャツを脱げ！」と言って、持ってきた軟膏（なんこう）を自分の手で丁寧に塗ってくれた。

「練習のスローイングを見て藤田さんは肩のことに気づいたんだと思います。現役時代に愛用していた薬だったんでしょう。それで黙ってその軟膏を肩から背中にすり込むように塗ってくれて、『これでもう大丈夫だ！』とニコッと笑って部屋を出ていきました」

その瞬間に原は「この人のためにオレは頑張る。この人を男にする」と決意したという。

こうした優しさとともに藤田の激情を語るのは、二度目の監督時代に薫陶を受けた水野雄仁だった。

「あの頃の巨人は投高打低のチーム。投手陣はそういう意味ではプライドを持っていたんですけど、藤田さんはことさらピッチャーには厳しかった。どんなに連戦が続いても月曜日は必ず練習。そこできちっと投げ込まないと使ってもらえない。自然と不満が出ることもありましたけどね……」

そんな投手陣がぐうの音も出なくなる〝事件〟が、九〇年の日本シリーズ直前に起こった。

当時はペナントレースでチームが勝つと、系列テレビ局から報奨金が出ていた。その分配で「野手が優遇され過ぎだ」と投手陣には不満が渦巻いていた。そんな雰囲気で入ったシリーズ合宿の初日。藤田が投手ミーティングの行われる会議室に、いきなり入ってきた。

「お前ら、報奨金の分配で文句があるのか？」

投手会長の宮本和知が迫力に気圧されながらも「はあ……」と頷く。

「それならこれをみんなで分けろ！」

内ポケットから分厚い封筒を取り出し、テーブルの上にバーンと置くと、藤田は部屋を出ていってしまった。

封筒の中にはポケットマネーの三百万円が入っていた。

もともと藤田はＶ９時代の川上哲治の教えの下で、鉄の管理学を学んで育った。その中で学んだことは、組織を動かすためにはアメとムチをきちっと使い分けなければならないということだった。ただ、藤田の使ったアメとムチには、いつも「心」があった。

「選手とは本当の気持ちで接しなければ、決してイザというときに働いてくれない」

藤田はよく言っていた。だから本当に感情をほとばしらせ、選手を本気で怒り、守った。それが藤田のリーダーとしての心得だった。

この藤田と同じように感情をほとばしらせながらチームを勝利へと導いていっ

たのが、近鉄、オリックスで監督を務めた仰木彬である。

仰木はひとことで言ったら固定観念に囚われない奔放さが売りの指導者だった。近鉄とオリックスで都合三回、合計で十四シーズンにわたり指揮を執ったが、その最大の功績の一つにイチローの発掘がある。

仰木がオリックスの監督に就任したのは九四年のことだった。この頃のイチローは鈴木一朗という本名で入団三年目。当時から独特な振り子打法で打席に立っていたが、その変則打法を注意しても変えようとしないことに一、二年目の監督の土井正三から目をつけられ、ファームで燻る時期が続いていた。

しかしその変則打法の中に、イチローの才を見抜いたのが仰木だった。

チームと選手のPRマンを自任していた仰木は、開幕から鈴木一朗の登録名をイチローに変え話題作りをするとともに、二番に抜擢。これが見事にはまってイチローはその年にプロ野球史上初となるシーズン二百安打(シーズン終了までに二百十安打)を達成し、栄光への第一歩を踏み出した。

近鉄監督時代からオーダー編成は日替わり。しかも抜擢し起用した選手が、面白いように活躍することから、その采配は〝仰木マジック〟と呼ばれた。四番は固定するものという球界の常識を廃し、相手との相性や様々なデータを駆使してとんでもない選手を四番に抜擢したりもした。そうしてベストの布陣を探る野球は、ある意味、いまになってようやく周囲が追いついてきたとも言えるかもしれない。

ただ当時は、そんな仰木の起用に選手がついていけなかった部分があったのも事実だ。

「当時の選手で仰木さんが好きだった人はあまりいないと思います」

スポーツナビの「近鉄ＯＢ同窓会」でこう語っていたのは、当時の主戦捕手だった光山英和（みつやまひでかず）だ。

「オレもめっちゃ嫌いなんやけど、適材適所に選手を使うって意味ではやっぱりね、他の監督とは違うと思ってます。オリックスの監督もやられましたけど、それも含めて、どんな戦力でもほとんどBクラスに落ちないって、やっぱり凄いなと思います」

こう評したのは投手の加藤哲郎だった。

ただ、そうした選手の反発の一方で、仰木もまた藤田と同じように「心」を大事にした親分的リーダーでもあったのだ。

「仰木さんは人情の機微を知り抜いた人であり、男気の指揮官でした」

こう語っているのは近鉄時代に仰木の下でプレーした金村義明である。

金村の思い出は仰木が近鉄監督一年目の八八年、西武と死闘を演じて最終戦となるロッテとのダブルヘッダーに優勝をかけた、いわゆる「10・19」でのものだった。

実は金村は「10・19」の直前の試合で左手首を骨折し、登録抹消となり、試合には出場していない。優勝を決める大事な試合に出られないどころか現場にも行けないことで、自宅で放心状態だった金村に、仰木が電話をかけてきたのは決戦前日の十月十八日だった。

「カネ、お前の頑張りでここまで来たんや。だから最終戦はお前も球場に来い！」

翌日、左手にギプスをしたまま試合が行われる川崎球場にやってきた金村は、第一試合はネット裏の記者席から観戦。この試合を四対三で勝ち、チームは優勝に王手をかけて第二試合に臨むことになった。そこで金村は第二試合とのインターバルにナインを激励するため、三塁側のロッカーを訪れた。選手に声をかけてスタンドに戻ろうとしたそのとき、仰木がこう言い出したのだという。

「おいっ、カネ！　二試合目はお前もベンチに入れ！」

登録抹消中の選手がベンチに入るのは、もちろんルール違反である。しかしそれを承知で仰木は金村をベンチに入れた。こうしてグラウンドコートを羽織った金村は、ベンチの隅から熱戦の全てを見守ったという。

問題の第二試合は九回に二塁上での交錯プレーを巡ってロッテの有藤道世（現・通世）監督が猛烈な抗議をしたこともあって時間切れの引き分けに終わり、

近鉄の優勝は夢と消えた。

いるはずのなかった金村もまた、選手とともにベンチで泣き崩れたのを覚えているという。

「仰木さんは決して選手のみんなから好かれていたわけではないと思います。それでもそういう選手の心を巧みに操りながら、ときには驚くような勝負手を躊躇なく打てる監督さんでした」

「10・19」当時の近鉄のエースで現中日投手コーチの阿波野秀幸（あわのひでゆき）も仰木のカリスマ性をこう振り返る。

「僕もある意味、無茶苦茶な使われ方もしましたけど、『10・19』だって、あそこまで辿り着けたのは仰木さんのお陰。僕は感謝しかないです」

阿波野はこう感慨深げに振り返った。

ずっと東京を拠点に取材活動をしてきたこともあり、筆者は仰木と個人的な接点はほとんどないが、ただ一度だけ、一緒に食事をしたことがある。

スポーツ新聞の駆け出し記者時代の八五年、アマチュア担当として春のセンバツ甲子園大会の予備取材で仰木の母校・東筑高校を訪れたときのことだった。当時、仰木は近鉄でヘッドコーチを務めていたが、母校の選抜出場が有力となり激励に訪れていた。

そこで挨拶をして東京から来たことを告げると、野球部後援者らとの会食に同席するように誘ってくれたのである。

よそ者の若造記者が、いきなり関係者の食事会に誘われたことへの遠慮もあった。

「僕なんかがご一緒してもご迷惑では……」

すると仰木はこんなことを言ったのである。

「何を言ってるんだ。これも何かの縁。人は自分で動いているんじゃない。人は他人に動かされるものなんだから。だから人の縁は大事にしなきゃいけない……一緒に来なさい」

その夜はしこたま飲まされた記憶しか残っていない。

アメとムチにも「心」。人情の機微、知り抜く

4

落合博満はなんで全てを語らなかったのか

「いままで色んな人の色んな打撃理論を聞く機会がありましたけど、理論的に一番納得できると感じたのは落合さんでした」

元ニューヨーク・ヤンキースの松井秀喜から聞いた元中日監督・落合博満の話だ。

二人は落合が巨人に移籍してきた一九九四年から三年間、同じユニフォームを着てプレーをしている。そのときに打撃の話をよくしたのは、試合が終わった東京ドームの風呂場だったという。

落合は帰り支度をするのが遅く、松井もいつもノンビリしていた。他の選手がそそくさと汗を流した後に、二人だけで湯船に浸かっていることが多かったからだった。

「風呂場でよくバッティングについて教わりました。ただほとんどの場合は、その日の試合の打席うんぬんではなくて、もっと総論的なものでしたね。落合さんのバッティング理論だったり、そもそもバッティングの何たるかというような話もしてくれました」

ただ、この話にはオチがある。

「落合さんの言うことは正しいです。納得がいく。でも、その通りにできる人って、結局、落合さんしかいないんですね。僕にも難しかった。それともう一つ、落合さんは絶対に話の結論は自分からは言ってくれない。ボソッと核心的なことを言うと、後は自分で考えろって突き放す感じの話し方ですね」

松井が落合から受けた打撃のヒントの中に「ゴルフのアイアンショットの練習

をしろ」というものがあった。

松井は右利きの左打者。その欠点として、どうしても右手に頼ってスイングをしてしまい、フィニッシュで右肘をうまくたためない傾向があった。そのことが逆方向に強い打球をなかなか打てない欠点につながっていた。

ちなみに松井の巨人時代の後輩の高橋由伸が「僕が松井さんより優れている点と言えば逆方向への打球だけです」と言っているのを聞いたことがある。高橋も同じ右利きの左バッターだが、高橋は器用に逆方向に強い打球を飛ばす技術を持っていた。なぜなら高橋は右肘のたたみ方が巧みだったからだ。

だが、落合から「アイアンショットの練習をしろ」と言われた松井は、すぐにはその真意が分からなかったという。

「だから言われた通りに、ゴルフのアイアンの練習なんて特にはしなかったんですね。でも、あるときゴルフをしていて思ったことがあった。アイアンを打ったら、綺麗に右肘をたためて、すごくいい球が出た。ああ、これかって。落合さんの言っていたのはこれなんだ。そのためにアイアンで練習をしろって言っていたんだって。そのときようやく分かりました」

右肘をきちっとたためればバットのヘッドを逆方向にも押し込めて、綺麗な球が出る。そのたたみ方が一番よく分かるのが、ゴルフのアイアンショットだったのである。

「でも落合さんはそこまでは絶対に言ってくれない。落合さんと話をすると、いつもそんな感じでした」

指導者になった後の落合も、自分の目指すものについて〝全ては語らない〟という独特な話術は変わらなかった。

二〇〇三年オフに三年契約で中日の監督に就任すると、会見ではFAやトレードなどの戦力補強をしないで「個々の選手の能力を十％ずつ底上げできれば優勝できる」と宣言した。さらには翌〇四年の開幕投手にヤクルトから移籍以来三年間、一軍登板のなかった川崎憲次郎(かわさきけんじろう)を指名するなど、いわゆる〝オレ流〟の指針を次々と打ち出して話題をさらっていった。

落合が監督一年目のシーズンに選手会長を務めていた井端弘和は、当時の選手たちの気分をこう述懐している。

「とにかく選手は『これからどうなるの?』って感じでしたよね。断片的にしか話が聞こえてこないから、落合さんが何を考えて、何を求めているのかがみんな分からなかった。選手が言われていたのは『キャンプ初日に紅白戦をやるから、野球ができる身体（からだ）を作ってこい』ってことだけでしたから」

この頃、落合の現役時代を知る選手はベテランの立浪和義（たつなみかずよし）などほんの数人しかいなかった。普通の監督であれば、就任と同時に直接であれ、メディアを通してであれ、様々な発言をして、それを聞いた選手たちはある程度、これから自分たちがやらなければならない野球の骨格を思い浮かべることができる。

だが、落合監督にはその情報がなかった。

だから選手の間に流れていたのは、ある一つの感情だけだったという。

「みんなの心にあったのは恐怖でしたね」

井端は言う。

「言葉は悪いけど、得体の知れない怖さみたいなものがどんどん広がっていました。『落合さんが監督になってオレたちはどうなるのかな』って、食事とかで選手が集まると、そんな話ばかりしていたのを覚えています」

実は監督就任後の落合は、正しく言えば何も語らなかったわけではない。むしろ野球の話になると饒舌（じょうぜつ）と言っていいほどによく喋（しゃべ）った。ただ、その一方で松井が語るように、肝腎要の核心部分については、自分の口から積極的に説明することは、一切なかった。

監督に就任してから唯一、選手たちに正式に伝えられていた、翌年のキャンプ初日の紅白戦実施。その目的を落合はこう説明している。

「オレは中日を離れてもう十年経（た）っているから、いまの選手たちを全く知らない。変な先入観で見たくないので、まず紅白戦をやって白紙の状態から、一人一人を評価したい」

もちろんその言葉に嘘はなかった。

ただ、初日の紅白戦にはもう一つ、大きな目的があったのではないか、という人物がいる。井端とともに〝アライバコンビ〟として落合ドラゴンズの内野の要を担った荒木雅博は、このときの落合の狙いをこう解釈していた。

「確かにあの年は何も分からずに言われるがまま身体を作ってキャンプに臨みました。でも実際にやってみると、初日からしっかり身体ができていることで、それまでのキャンプより試せることが格段に広がっていた。結局はそれが自分の技術を上げていくことにつながっていったんだと思います」

全員の力を十%底上げするためには、何が必要なのか？　答えは猛練習しかない。その猛練習をするためには何が必要なのか？　それに耐えうる体力、コンディション、気構えをキャンプの最初から作っておかなければならない。実は紅白戦をやることがメインの目的ではなかったのだ。最大の目的はキャンプの初日から選手に過酷な練習を課して、その猛練習によって全員の「能力を十％底上げする」ことだったのである。それに耐えうる準備をさせるためにキャンプ初日の紅白戦という課題を設定していた。

「キャンプ初日に野球ができる身体を作ってこい」という言葉の裏側には、そんな狙いが込められていたわけである。

落合が中日で監督を務めた八年間を振り返ると、実は毎年、この「十％底上げ理論」を追い求めていたのではないかと思う。

落合がことあるごとに口にする言葉がある。

「やるのは選手だから」

結局、監督ができることは、チームを作り上げて、先発投手とオーダーを決め、グラウンドに送り出すまででしかない。

「監督になると何かをしなければならないという気持ちに駆られるが、何もしないことが名監督の第一の条件だ」

大リーグにはこんな古い格言がある。

もちろん監督は試合になれば先発メンバーを組み、代打の起用や継投策など何度も重要な決断を求められる。しかしそれらの仕事も、一度、断を下してしまえば、もう監督の手を離れてどうすることもできない。

結果を支配する力を持っているのは監督ではなく、選手だけだ。それが野球というスポーツの本質なのである。

そのことを落合は選手時代の経験として十二分に分かっていた。

だからこそ勝つ組織を作るために選手にはスキルアップを課し、ひたすら野球がうまくなることを求めた。そしてうまくなるために練習を要求した。選手の「能力を十％底上げする」ための道はそこにしかない。それが落合の持論だったからだ。

それは就任一年目だけではなく、監督を務めた八年間、変わらずに選手たちに求めた落合野球の土台だった。そうして日本一厳しいと言われた、落合中日のキャンプがこの年から始まったのだった。

選手の能力の底上げということについて、井端がこんな話をしていたことがある。

「ある試合でノーアウト一塁から僕が三塁ゴロでダブルプレーになったことがあったんです。それで試合も負けたけど、翌日の新聞に『今日の収穫はあのダブルプレー』って落合監督のコメントが載っていたんですね。訳が分からないじゃないですか。併殺打を打って収穫って……。全く意味が分からなかった。それで勇気を振り絞って、落合監督に聞きに行ったんです。『ダブルプレーが収穫って、どういう意味ですか？』って」

すると落合はニコッとしてひとことだけ、こんな風に言ってくれたという。

「だってお前は追い込まれたら、いつも右方向にしか打たないから、たまに左へ引っ張っておかないとダメだろう」

そこから自分の打撃は格段に進歩したと井端は認める。選手として持ち味だった守備だけではなく、バッティングを含めて、一つ上のレベルに踏み出すことができるきっかけになった出来事だった。

これで井端の力は十%か、それ以上、底上げされた。そういう一つ一つ、一人一人のレベルアップの集積で、強いチームは作り上げられる。監督として過ごした八年間、落合が求め続けたのは、実はその連鎖だったのである。

だからこそ落合は、逆に自分が求めるレベルアップから脱落していった選手に対しては、冷徹だった。

落合が監督になって目指したのは、投手力をベースにした守りの野球だった。

「バッティングは計算できない。計算できるのはピッチャーを中心にした守りしかない」

ことあるごとに落合は自分の野球のスタイルをこう語っている。

ただ、野球選手が年齢を重ねてベテランとなり、肉体的に最初に衰えが出てくるのは守備力なのである。年をとって下半身が衰え、足腰が弱ることで守備範囲は狭まり、あと一歩の球際に弱くなっていく。

打撃は技術でまだごまかしが利く。しかし守備は足が動かないとどうしようもなくなる。いままでなら追いつけていた打球に最後の一歩を踏み出せず、ボールがグラブの先を抜けていく。あと少しグラブを差し出すことができれば捕れていた飛球が、外野手の間を転々と転がっていく――これは肉体的に下降線を辿り出したベテランに起こる必然の出来事だった。

落合はそういう選手を許さなかった。

「落合監督とは、最初はあまり関係がよくありませんでした」

自身の野球殿堂入りのパーティーで、こんな〝衝撃の告白〟をしたのは立浪だった。

立浪は大阪の名門・PL学園高校から一九八七年のドラフト一位で中日に入団。当時の監督だった星野仙一に目をかけられ、一年目からショートのレギュラーとして抜擢された。シュアな打撃と流れるような守備で新人王に輝くとともに、高卒ルーキーとしては史上初のゴールデングラブ賞も受賞。三年目の九〇年には打率三割三厘をマークして打撃でも頭角を現していった。端整な顔立ちと華麗なプレーで男女を問わず地元ファンの人気を博し、チーム内でもリーダーシップを発揮する存在となっていった。中日における立浪の立場は、単なる中心選手というだけではない。生え抜きのエリート、「ミスタードラゴンズ」の道を歩み続けてきた選手だった。

ただ、落合が監督となった〇四年あたりからは、たび重なる故障の影響もあり、次第に衰えが現れ始めていた。特に目立ちはしなかったが、守備でのミスとも言えないミスが色々な場面で出始めた時期でもあったのだ。

その暗い影を、落合は見逃さなかった。

そこで落合がやったのは、立浪に代わる若手を育成し、ミスタードラゴンズを容赦なく追い落とすことだったのである。

落合は、若手の有望株と言われたが、伸び悩んでいた森野(もりの)将彦(まさひこ)の守備をまず徹底的に鍛えた。そして就任二年目の〇五年には立浪に代えて森野を三塁で起用する場面が多くなり、〇六年の後半からは完全に立浪をレギュラーから外していった。

「分かっているだろ！」

落合が立浪に語った言葉はこれだけだったという。

多くの監督がそうするように、ベテランとサシで話し合い、控えに回る理由を直接説明して、納得させるようなことはしなかった。

それから立浪は現役を引退する〇九年まで代打要員としての選手生活が続いた。

「最初はなぜなんだ、という思いで不満がマグマのように溜まっていきました」

立浪は述懐する。

「でも日にちを重ねるごとに落合監督の考え方が分かり、一番野球を勉強した時期でした。一番、人間的に成長させてもらった」

プロ野球の世界は職人の集まりである。

いくら実績があっても腕が落ちれば、取って代わられて、ベテランの働き場所は奪われていく。そして、最初はその現実を否定しようとしても、実はその実力の違いに、一番敏感なのは選手自身のはずなのである。

だから全てを語る言葉はいらない。

「落合野球は言葉巧みなマジックショーのようなものだ」——こう評していたベテラン記者がいた。

打者・落合は追い込まれても自分の待ち球以外はファウルを打って粘り、最後にその投手のウイニングショットを投げさせる。そしてそれを狙い打って、致命的なダメージを与えることを得意とした打者だった。

監督・落合博満もタイプとしては完全に待ちの監督である。自分から積極的に仕掛けて、試合を動かしていくタイプではない。ただ、全てを語らないことによって、相手が先読みして勘繰って、動くのを待っている。そこに網を張って、ゲームの主導権を握っていく。

みんなに白い鳩が出てくる、出てくると思わせて、実は白い鳩は出てこない。しかしそう思わせることによって、相手を自分の意のままに引き込んでいく。落合野球とはそんな野球だというこの喩(たと)え話は、まさに言い得て妙なのである。

プロ野球は職人の世界。選手自身が実力を感知する

5 原辰徳は巨人をどう復活させたのか

原辰徳とは巨人の選手時代から、記者と取材対象として三十年以上の付き合いがある。

最初の出会いは一九八九年。藤田元司監督の時代だった。

当時、読売新聞系（巨人系列でもある）のスポーツ紙で野球担当をしていたが、それまでは西武やヤクルト、中日などを担当して、この年、初めて巨人の担当となった。

選手・原との出会いは最悪だった。

ある練習日に原が当時の打撃コーチだった松原誠（まつばらまこと）の打ち込みの指示を断って多摩川グラウンドから帰ってしまったことがあった。それを取材して「コーチ指令拒否」というような原稿を書くと、翌日の試合後の東京ドームの駐車場で「報知（の記者は）いるか！」と原が担当記者を見回したのだ。

「何か？」

気圧されてはならないと、こちらも少しぶっきら棒に答えると、原の顔は真っ赤に上気していた。

「ちゃんと取材したのかよ？　オレがいつ指令を拒否したんだよ？」

こちらはコーチを取材して書いたので「取材はしていますよ。松原さんは『原が言うことを聞かずに帰った』と言っていました」と答える。

真相は軽い肉離れか何かだったと記憶するが、とにかく故障がありトレーナーの判断で打ち込みは免除になっていたのだ。それがコーチに伝わっていなかったための行き違い。球団の連絡ミスと、その情報をしっかりと確認し切れていなかった、こちらの取材不足でもあった。

それでもそうした事情を説明すると、最後は「もう書いちゃったからしょうがないけどさ。今度からオレにもちゃんと聞いてよ」と爽やかに言って車に乗り込んでいった姿が忘れられない。そうして翌日になったら何もなかったかのように話をしてくれた。

世間が抱く現役時代のステレオタイプのイメージは、「若大将」と呼ばれ爽やかで人当たりは良いが、どこか勝負師としては物足りなさが残るものだった。メディアは意識的にそのイメージを上塗りするような記事ばかりを書いていたが、当の本人はそんなことを根に持つことはほとんどなかった。

そして周囲から何を言われようと、淡々と「巨人の四番」という金看板を背負ってグラウンドに立ち続けてきた。

それが原辰徳の凄さだったのである。

周囲の、ある意味での偏見も意に介さない。批判されても、それを恐れない。そうして全てを飲み込んで自分の道を進める。底が見えないような胆力が指導者、監督となった原を、成功へと導いていく背骨となっている。

監督として深く印象に残るのは二〇一四年七月十一日の阪神戦で見せた采配だった。

二対二の同点で迎えた六回。二点を勝ち越されなお一死二、三塁の場面で、左翼を守っていた亀井善行（かめいよしゆき）を一、二塁間に移動させる内野手五人シフトを指令した。代打にスイッチヒッターの西岡剛（にしおかつよし）が起用されると、一度はシフトを解いたが、その後ツーストライクとなると、今度は亀井を三遊間に移動させ、再び五人シフトに戻したのだ。結果は西岡に見事に誰もいないセンターの定位置付近に飛球を打たれて、これが安打となって追加点を奪われた。

当然、この試合を観ていた辛口の評論家からはバッシングの嵐である。

「肩書によって錯覚しがちだが、監督とはある意味、裏方である。あくまで主役は選手。巨人のように強力なチームで、しかもこの時期に動き過ぎる必要は、ない」

翌日のサンケイスポーツに掲載された元ヤクルト監督・野村克也の評論「ノムラの考え」は、ボロクソにこの采配を切って捨てていた。

しかし原は動じていなかった。

「失敗したら批判されるのは分かっていた。でも評論は評論だから、みなさんが観て思ったことを言ってくださいということだね」

サラッとこう語ると、批判を承知で亀井に内野を守らせた理由をこう説明したのである。

「前からここ一番での守備のオプションとして考えていて、いつか試してみたいと思っていた。それを選手に実際に経験させる絶好の場面だと思ったんだ。実際に守ることで、次にやったときに例えば(阿部(あべ))慎之助(しんのすけ)(捕手)はどういうリードが必要なのかとか、選手たちの見える景色は絶対に違ってくる。二点リードされたところで、オレには内野を五人の選手が守るあの風景が見えたんだ」

目的はいまではない。

ここ一番の試合で訪れる本当の勝負の場面、このシフトを使うときが必ず来る。そこを見据えて、批判は覚悟で亀井を動かした。そういう決断力、実行力が監督・原辰徳の持ち味なのである。

だからこそ低迷して硬直していた巨人を一気に動かし、勝つ組織へと作り替えることができたのではないだろうか。

「強い組織がどうやって生まれるかと問われれば、まず全員が目的を達成する強い意志を共有することから始まると思う」

原は語る。

「野球で言えば勝つという目標をみんなが強く持つこと。全員にそう思わせないとダメです。もし仮に目標の達成を強く思わず、自分の成績だけを考える人間がいるなら、それは相当なエネルギーで組織全体の足を引っ張る人間となる。そういう人材は教育するか、あるいは排除するか。それがリーダーの役目となる。監督としてそこは譲れないですね」

一八年オフの監督復帰直後から、原は「〝個人軍〟ではなく〝巨人軍〟」とインタビューや選手への訓示でことあるごとに繰り返して語ってきた。

「勝つという目的のために、我々は選手に何を求めなければならないのか。答えはどれだけ個々が自己犠牲の精神を持ち、チームに献身できるかです。そのことを徹底的に選手の意識に植えつけるのが目的だった」

翌一九年のキャンプで自己犠牲の精神を植えつけることの大切さを説き、実際にそのことを示したのが、一九年の開幕直後のある采配だった。

三月三十日の広島との開幕二戦目。四対二で二点をリードした九回無死一、二塁で、坂本勇人が打席に立った。もちろん坂本はチームでナンバーワンのバッターであり、普通なら中心打者としてのプライドを尊重して「彼のバットにかけた」とノーサインで打たせるところだ。

しかしここで坂本に出されたのは送りバントのサインだったのだ。

「ただ大事なのは何かをやろうとしたときに、道理がなければ人はついてこないということです」

原は言う。

「あの場面も送りバントは勝つための最善策としての選択だった。決して彼にバントをさせて、選手たちに何かを見せようと、あえてやったものではない。二点リードの九回に走者を置いた場面。ダメ押し点を取れば勝つ確率は格段に上がる。その選択肢として送りバントがあって、それが最善だからサインを出した、そこなんです」

坂本は一発でバントを決めて走者を進めると、何くわぬ顔でベンチに戻ってきた。

その当たり前さこそ、原がチームに求める姿だった。百の言葉にも勝る一つのサインであり、一つのプレーだった。

「だからあのシチュエーションで打席にいたのが勇人だったということに、実は私は心の中ではガッツポーズをしていたんですよ」

選手に献身を植えつける絶好のチャンスが、自然と転がり込んできたわけだ。

勝つために技量を上げていくことは、個人にとっては大きなテーマだ。そのために選手は必死に練習をするし、相手の研究をして、データを叩き込んで打席に入り、マウンドに立つ。ただ、そういう努力をする目的は何かと問い続けると、プロ野球ではチームの勝利ということに集約される。

「自己犠牲をやり遂げた上で、二〇一九年の勇人は四十本塁打を打ち自己最高の成績を残して優勝した。そこに意義があった。主将としても選手としても、大きな一歩を踏み出すシーズンになったと思います」

坂本にも当たり前に送りバントのサインを出し、坂本がそれを当たり前にやり遂げることで、他の選手に自己犠牲を当たり前の意識として根づかせることができた。そのことが巨人というチームを、勝つ組織へと変えていく一つのきっかけとなったのである。

そうして選手に対して献身を求める代わりに、原が意識的に行ったのが固定観念を排した上で選手、特に若手を抜擢することだった。

ファームで成績を出した選手を一軍に上げたら、次々と旬なうちに先発起用してチャンスを与えた。そうして一九年には投手では伸び悩んでいた桜井俊貴、ルーキーの戸郷翔征、野手でも二年目の若林晃弘や育成枠上がりの増田大輝らを戦力となるまで引き上げている。

「若手を抜擢する上で大事なのは、組織内の情報共有を徹底すること。そのためにファームと一軍で非常に綿密に情報交換をしていました。その上でこの選手はこういう選手だというような固定観念を捨てて、まっさらの目で見ることを意識した。そこから新しい力は生まれると思っています」

原が典型的な例として挙げるのは、一九年に育成枠で入団した山下航汰という外野手だ。

山下は群馬・健大高崎高校時代からその打撃センスの高さが注目を集めていたが、守備面の難から正規のドラフトでは指名漏れとなった。そこで巨人が一芸選手として、育成枠で獲得した選手である。

「確かに守備はお世辞にもうまいとは言えませんでしたが、それを考えても余りある打撃センスを感じる選手でした。そこでファームでも守備を鍛えることはもちろんでしたが、彼の持ち味である打撃をどこまで伸ばせるかを指導テーマにさせた。そのために一回から送りバントをさせるようなことはしないで、打撃機会を増やすように二軍の高田誠監督（当時）と意思疎通を図って育てた選手です」

一九年の八月には一軍デビューさせて、最終的にはファームでイチロー以来となる高卒新人での首位打者を獲得。二〇年は一軍レギュラー獲得が期待されたが、開幕直前の五月に右手有鉤骨を骨折してリハビリのために育成契約に戻ることも経験した。

「ただそういう選手はまだまだ一年を通してコンディションを維持して結果を残

した経験もないし、調子も長続きはしません。だから一軍に上げても、最初は潑剌としていたのが、次第に壁にぶつかって結果も出なくなる。でも、そこでこの選手はこういう選手だという固定観念は持たず、必要ならばファームで再調整させて次の機会を与える。その繰り返しで選手は成長していくものです。だからこそ一軍を下支えするファームの存在、そのファームとの連携は絶対に必要なのです」

二度目の監督を退いた一五年オフに原からこんな話を聞いたことがある。

「野球チームというのは五年周期くらいで主力選手が入れ替わって、チームそのものが生まれ変わっていく。そのことに早く気づいて、きちっと手を打たないと、そこからもう一度チームを立て直すのには、長い時間と想像以上の労力がかかってしまう」

確かに原が二度目の監督となった〇六年から五年間で、巨人は三度のリーグ優勝を達成し、〇九年には日本一も手にしたが、五年目の一〇年は三位に沈んでいる。そして改めて投手陣を整備してチーム再建に乗り出した一一年は三位に終わったが、翌一二年から再びリーグ三連覇。ただチーム再建から五年目の一五年には覇権を逃し、原自身が監督から身を引くことになった。

そして後を継いだ高橋由伸の苦悩の三年間とともに、巨人は停滞した組織となっていた。

継続ではなく、思い切った変革へと舵（かじ）を切る決断力と実行する勇気——。

それが再登板した監督・原辰徳に求められた手腕だったのである。

そんな原巨人がリーグ連覇を掲げて臨んだ二〇年は、新型コロナウイルスの感染拡大で変則的なシーズンとなった。

「昔からプロ野球は決められたルールの中で開催日、日程を定められて、そのスケジュールに沿って目標を定めてチームとしての形を仕上げていく。逆算で成り立つ世界なんです」

三月二十日の開幕が延期となり、いつシーズンがスタートするのかも分からなかった四月末のことだ。

「こういう経験は初めてのことで、確かにチーム作りに難しさも感じる。でも、願わくば開幕日を決めていただいて、その三週間前から練習や試合ができる日程をいただきたい。そうすれば百％に近いチーム力に仕上げる自信はあります」

開幕が再延期となった直後の四月からチームは〝一時解散〟して、選手たちは個人練習という形で個々の責任でコンディション維持のトレーニングを行ってきた。そこから五月半ばになってようやくチームとしての練習をスタートさせ、五月二十五日には、約三週間後の六月十九日に開幕することが公表された。そこから逆算した原のチーム作りが始まったのだ。

「まだどうなるかは分からない。でも去年（一九年）、我々が二番に坂本を据えたときには、周りは『坂本の二番なんてもったいない』『原は何を考えているんだ』ってみんな笑っていたよね。でも、今年はおそらく多くのチームが、二番に最強打者を入れたオーダーを組んでくるはずです。今年のジャイアンツはさらに、色々な新しいことにチャレンジしていこうと思う。楽しみに待っていて欲しい」

宮本武蔵の『五輪書』と『孫子の兵法』。

原が勝負の奥深さを学んだ二つの書だ。

「『五輪書』は地、水、火、風、空の巻があり、戦って勝つことをストレートに追求し、いかに勝つ方法を身につけるかという教えです。一方の『孫子の兵法』は〝彼を知り己を知れば百戦殆（あやう）からず〟と様々な情報を得ることで、戦わずして勝つことを最良と説く。言ってみれば二つは相反する戦いの書ですが、どちらにも理がある」

この相反する二つの書を何度も読み返し、原はその中から本当の強さを探ろうとする。

「自分の中では未（いま）だに結論は出ていませんが、改めて勝つということの奥深さを学び、知ることができた。監督としての心境を大きく変えてくれた本だったと思います」

プロ野球は結果論の世界である。

勝てば官軍。負ければ有無を言わさず進退を問われる。どうしても目先の結果や順位にこだわってしまうが、その中で不変の強さを求めた答えが、この二つの相反する書の中にあった気がすると言う。

強い組織とはどう作られるのか？

明確な答えはまだない。しかし強い目的意識を共有しリーダーが固定観念を排除して人を動かせれば、組織は変わっていく――完全ではないが、それは指導者・原辰徳が導き出した一つの答えだった。

強い目的意識を共有。固定観念は捨てた

6　カリスマ指導者に共通する資質とは

日本の野球界にとってオリンピックの金メダル獲得は、悲願の一つとなっている。

「いまではWBCであるとか、様々な国際試合がありますが、やっぱりオリンピックは特別です」

こう語るのはアテネ五輪日本代表の監督を務めた巨人軍終身名誉監督・長嶋茂雄だった。

「WBCや他の大会は野球の大会。しかしオリンピックというのはあらゆるスポーツの祭典であり、その中で日本のアスリートたちが一体となって選手団を結成する。野球もそういう選手団の一員として出場するわけです。そこで金メダルを獲得するということは、単に日本の野球が勝つということだけではない。日本のスポーツ界全体、日本国民のために勝つという特別な意味があるんです」

長嶋が語るオリンピックで勝つことの意味だった。

野球の日本代表が最後に五輪で金メダルを手にしたのは、一九八四年に公開競技で行われたロサンゼルス五輪だった。以降は九六年のアトランタ五輪で米国を撃破して決勝に進出したものの、キューバに敗れての二位が最高成績。その後は銀メダルにも手が届かない期間が長く続いている。

その中で二〇〇〇年のシドニー五輪ではパ・リーグの選手を中心としたプロ選手が初参加。西武・松坂大輔投手やロッテ・黒木知宏投手、ダイエー・松中信彦内野手に近鉄・中村紀洋内野手らのプロとアマチュア選手の混成チームで五輪の舞台に乗り込んだ。

しかし結果的には準決勝のキューバ戦で敗退。三位決定戦でも松坂の力投虚しく、韓国に敗れて銅メダルの獲得もならなかった。

世論が揺れたのは言うまでもない。参加を拒否したセ・リーグの一部チームへの風当たりは強くなり、同時に五輪の盛り上がりを目の当たりにした巨人の親会社・読売新聞社が、ようやくプロ選手を派遣することへの、ビジネスを含めた様々なメリットに気づくことになる。

そうした背景の中で〇四年のアテネ五輪の代表監督に担ぎ出されたのが国民的スターの長嶋茂雄だったわけだ。

ところがその長嶋が志半ばにして病に倒れ、アテネのシナリオも大きく狂った。カリスマ不在の中でヘッドコーチの中畑清らの奮闘も虚しく、結果は銅メダル。日本球界の悲願は、またしても悲願のままで終わることになる。

「なんとしてもオールジャパンで金メダルを」――そんな声が湧き上がる中で、〇八年の北京大会の監督に指名されたのが星野仙一だった。

星野は〇一年のシーズンを最後に二度目の中日監督を退任すると、なんとその年の十二月に野村克也の後任としてライバル球団の阪神の監督に就任した。監督となるとすぐさま選手の大幅な入れ替えを行うなど、それまでのぬるま湯体質に浸っていたチームの意識改革を断行。就任二年目の〇三年には十八年ぶりのリーグ優勝をもたらし、カリスマ監督としての手腕を広く世に知らしめた。

監督・星野仙一に球界関係者が真っ先に思い浮かべるのは、「恐怖」という言葉かもしれない。

星野が最初に指導者の道を歩み出したのは、自らがプロ選手として育てられた中日だった。監督となったのは一九八七年。当時、私は巨人系スポーツ紙の中日担当として、その監督一年目を取材した一人だった。

そして星野が星野たる所以(ゆえん)とも言える衝撃的な光景を目撃したのは、翌八八年のオールスター前のことだった。

その日はあいにくの雨で予定されていた試合が中止となり、チームは名古屋市内にあった当時の室内練習場で練習を行っていた。全体練習が終わり、選手取材のために関係者入り口に向かうとき、ちょっとズルをしようとしたのが事件遭遇のきっかけだった。

担当記者は屋内の通路は立ち入り禁止で、移動は室内練習場の外に出て外周をグルッと回るのがルールだった。しかし関係者がいないのをいいことに、小走りで通路を抜けようとすると、途中にあるウエイトトレーニング室から異様な叫び声が聞こえてきたのである。

「監督！　もう勘弁してやってください！」

思わず中を見た。

すると打撃コーチの島谷金二（しまたにきんじ）が、鬼の形相の星野を必死に羽交い締めにしていた。

その横では若手捕手の中村武志（なかむらたけし）が床に倒れて気絶していた（ように見えた）のである。

背筋が凍るような光景だった。

「見てはいけないものを見てしまった……」

咄嗟にそう思った私は踵を返して、通路を戻り、慌てて外周から関係者入り口へ向かったのを覚えている。

いまでは決して許されない行為だが、当時の野球界には、まだまだ〝愛のムチ〟が美談としてまかり通っていた時代だった。

怒らせたら何をされるか分からない。

監督の言葉は絶対であり、選手もスタッフも全て服従しなければならない。そういう恐怖はチームマネジメントではある意味、必要な要素である。星野はそういう恐怖感を巧みに操って、弱いチームの意識改革を進めるのがうまい監督だった。

そしてその一番の成功例が万年Bクラスだった阪神を十八年ぶりの優勝へと導いた実績であり、東日本大震災で罹災した東北地方に勇気と希望を与えた二〇一三年の楽天の日本一でもあった。

ただ実は星野という監督を成功へと導いたもう一つの顔は、恐怖とは真逆にある「情」のリーダーとしてのものである。

「オレは選手を殴った。でも殴った選手の面倒は最後までみてきたんや」

阪神監督時代に、あの「中村武志殴打事件」のことを聞くと、星野は穏やかな表情でこう話していた。

選手を殴るにしても決して単純に、怒りに任せて手を上げていたわけではなかった。

中日で最初の監督就任が決まってまずやったことは、自宅のガレージにサンドバッグを吊るすことだった。

「選手を殴ってケガをさせるわけにはいかんから、殴る練習をする」

それが理由だった。

そしてその熱血指導についてきた選手が野球を離れ、球団を離れるときには、最後まで気にかけ就職の世話など面倒をみていたのだ。

現役時代から「燃える男」として、理ではなく情を前面に出してマウンドに立ってきた。そして指導者としても幾度となく繰り広げてきた乱闘や審判員への過激な抗議など、激情型の野球人というイメージがある。しかし、選手を殴るということ一つをとってみても、そういう計算の上で、陰ではパンチの練習を重ねる繊細さがあった。「恐怖」と「情」を巧みに使い分けて、組織をまとめ上げていく。

「最初はどんな監督なのか分からなかった。とにかく中日や阪神で知っている選手からは怖いという声ばかりが聞こえてきていましたからね」

こう語るのは北京五輪日本代表チームで主将を務めた元ヤクルトの宮本慎也だった。

だが実際にチームが動き出すと、星野のチームマネジメントの根幹を成したのはやはり「情」と「信頼」だったのである。

典型例が代表選手の選考のときだった。

八月に北京五輪本番を控えた〇八年のシーズン。この年の巨人の上原浩治(うえはらこうじ)は開幕から五試合に先発して四敗、防御率六・七五という散々の成績で、四月二十七日には故障以外で初めて再調整のためにファーム落ちも経験していた。もがき苦しみ、それでもなかなか復調への光明が見えない、そんな上原の携帯電話が鳴ったのは、五月に入ったある日のことだった。

電話は星野からだった。

実は星野は早くから上原を北京五輪ではクローザーで起用する構想を持っていた。そこで代表に招集するために、巨人の監督だった原辰徳に直談判して、リリーフで一軍に復帰させるなどの策を講じるなどもしていた。

それでもなかなか復調の兆しが見えない中での直電。しかし携帯電話の向こうから聞こえてきた声は、上原が思っていた以上に明るかったという。

「どんなに不調でも、オレはお前を選ぶから」

この言葉を糧に上原は必死で調整に取り組み、何とか本番ではクローザーとしてマウンドに上がれる状態にまで作り上げた。

一方、選手の選考過程でその「情」がマイナスとなったと指摘されたのが、ソフトバンクの川崎宗則（かわさきむねのり）の選出である。

当時の川崎はソフトバンクだけでなく、日本を代表する遊撃手として〇六年の第一回ＷＢＣでも監督の王貞治の下で世界一の原動力の一人となった選手だった。

この年もセ・パ交流戦では打率三割六分六厘でＭＶＰに輝くなど、体調が万全であれば代表に欠かせない戦力の一人であることは間違いなかった。しかし、合宿中に左足甲に痛みが発生し「骨膜炎」であることが判明。五輪ではベンチ入りが二十四人に限られる。ただでさえ一人何役も求められる環境で、まともにプレーができない選手をベンチ入りさせるべきなのか？　万全のコンディションの選手と入れ替えるべきだという声が関係者からは聞こえていた。

しかし星野の決断は「一緒にやってきたメンバーで北京に行く」というもので、

故障を抱えたまま川﨑はチームに残ることになった。

八月十三日のキューバ戦。川﨑は故障を押して強行先発したものの、この試合でさらに症状を悪化させてしまった。その後は二十二日の準決勝に再び先発出場をしたが、二打数無安打で途中交代し、帰国後に疲労骨折していたことが判明した。

元気印の川﨑のキャラクターを買い、コンディション不良で本来のプレーができなくてもチームのムードメーカーとしての役割を買っての帯同。ただ何よりも「荷物持ちでもいいから行きたい」と訴えた川﨑の意気込みに星野が動かされたものだった。

しかし結果的にはチームにとっても、本人にとっても、この決断はマイナスを生むこととなってしまった。

準決勝の韓国戦でまさかの落球をした西武のG・G・佐藤を、三位決定戦でも起用したのも「挽回のチャンスを」という星野の「情」からだった。

しかしこれも結果的には準決勝でのミスを引きずった佐藤が、再びまさかの落球。そうしたミスも重なって結果的に星野は金メダルどころか銅メダルにも届かないままに敗戦の責を一身に背負うことになる。

翌〇九年の第二回WBCでは再び日本代表の監督候補として星野の名前がかなり具体的なところまで挙がっていた。星野自身も「北京のリベンジ」と就任に前向きな姿勢を見せていたが、そこで〝反旗〟を翻したのがイチローだった。

「WBCは北京のリベンジではない」

イチローのこのひとことで形勢は一気に逆転してしまった。

「オリンピックで勝っても一銭にもならないわけです。しかも集まってくるのはあれだけ実績があり、チームでは好き勝手やっている連中です。そのチームをまとめるだけでも大変なのに、結果で負けたらボロクソ。そういう全てを背負わなければならない。それがジャパンの監督だと思います」

こう語るのは宮本だ。

宮本は北京五輪の星野だけでなくアテネ五輪のアジア予選では長嶋茂雄、第一回のWBCでは王貞治と三人の日本代表監督の下でプレーをしている。

宮本から見ると三人のチームの動かし方、勝利へのアプローチの方法は三者三様だったという。だが、一つだけ共通する部分があるとすれば圧倒的な威圧感だった。

〇三年のアテネ五輪アジア予選で、長嶋は、二年連続首位打者に輝き主軸として期待していた小笠原道大が不振と見るや、すぐさま打順を八番まで下げた。その決断がカリスマ監督の特徴だったと宮本は語る。

「普通の監督だったら批判されてもおかしくないところですが、そういう批判を許さないようなカリスマ性というのは長嶋さん、王さんには共通した部分でした。星野さんはその二人に比べると距離感がちょっと違った。遠からず近からず。友達的でもないし、かといって近づけないほど遠くもない。ただ、この三人に共通するのは何とも言えない威圧感です。ペナントレースで優勝したり、結果を残して名監督と言われた人に共通するのは、そういう威圧感なんだと思います」

本質的には「情」の監督である星野が、圧倒的な「恐怖」をもって周囲から見られていたのも、指導者としてそういう圧倒的な威圧感が必要だったからなのかもしれない。

姿形が見えなくても、背後に立っただけで空気が変わる。その瞬間に、選手は本能で監督の匂いをかぎ分けることになる。卓越したカリスマ性、頭抜(ずぬ)けた野球理論、類(たぐい)まれな親分肌……。形は違ってもそういう他を圧倒するような存在感を、選手たちは肌で感じる。

そのときに誰が自分たちのボスかを認識することになる。

選手が肌で覚えるほどの空気を変えてしまう威圧感

7 野村克也はなぜ阪神で勝てなかったのか

ノムさんが逝ってしまって長い月日が経つ。

いまでも球界で何かが起こると、「ノムさんなら何と言うだろうか……」と思いを馳せてしまうのは、私だけでなく多くの野球ファンも同じではないだろうか。それぐらいに日本球界における野村克也という人物の存在は大きなものだった。戦後野球史において王貞治（現ソフトバンク球団会長）と長嶋茂雄（現巨人軍終身名誉監督）と並び称される巨大な存在であったことは間違いない。

野球人・野村克也は現役時代の実績はもちろんだが、野球における「思考」

を理論化し、体系化したという点で日本球界に大きな功績を残した人物と言える。

「考える野球」を身につけることで、一九六五年にはプロ野球史上二人目の三冠王に輝き、七〇年にはプレーイングマネジャーとして南海監督に就任。四年目にはパ・リーグ優勝を遂げる。その一方で当時の南海では〝親分〟と呼ばれた鶴岡(つるおか)一人(かずと)元監督の派閥が強い力を持っていた。その鶴岡一派との様々な軋轢の中で七七年には監督退任へと追い込まれ、その後は「生涯一捕手」としてロッテ、西武で八〇年までプレーした。

しかし野村が真価を発揮したのは、その後の評論家生活を経て九〇年にヤクルト監督に就任してからだった。

「監督とは何をすべきか考えてみた。人作り、チーム作り、試合作り。行き着いた答え、監督の仕事とはこの三つだった」

野村は言う。

そこでヤクルトの監督として野村がまず取り組んだのは、自らが手取り足取りして人とチームを作り上げていくことだった。

ヤクルトを勝てる組織、勝てるチームへと作り上げていった過程で、野村は常に選手たちと二人三脚で歩み続けてきた。

「練習でも試合でも、私生活でもいつも監督が見ている。ちょっとでも手抜きをしたら咎（とが）められる。そんな怖さを持った監督でした」

こう語るのはヤクルト時代に野村に「一流の脇役になれ」と道を示してもらい、通算二千本安打を達成した宮本慎也だった。

「監督がグラウンドに来ると、姿が見えなくても空気が変わった。緊張感が張り詰める雰囲気が自然と伝わってきた」

野村がヤクルトで監督を務めた期間は五十四歳から六十三歳まで。男としてまさに仕事に、人生に脂が乗り切った時期だった。晩年の好々爺（こうこうや）然として、評論ではボヤいて毒を吐くキャラクターとはかなり違って、精気溢（あふ）れんばかりのリーダーだったのである。

だから常に選手とともに野球に向かえた。

例えばキャンプでのミーティングもそうだ。

「人の集中力は一時間が限度」が持論。そこで長時間、拘束することはなかったが、休日前夜を除く毎晩きっちり一時間、ミーティングで講義を行い続けた。これを監督時代にずっと継続したことは、指導者の仕事としてもそう簡単なことではない。

「書くということは考えることと同義語」と言う野村のミーティングで、選手たちの必携品はノートとペンだった。講義が始まると、野村がその日のテーマをホワイトボードに書き出す。そこから問題のポイントや注意点を書き示しながら説明し、それを選手たちがノートに写していくという作業だった。

人間教育を重視した野村は、このミーティングでも様々な思考のきっかけを選手たちに与えている。

例えばプロフェッショナルとして仕事に取り組むために必要な三つの「E」という話がある。

野村はまずホワイトボードにローマ字の「E」を三つ書き出し、その一つ一つを解説しながら単語を完成させていく。

一つ目は「Entertain」でいかにファンを楽しませるか。この仕事を「天職」としてプレーすることが面白くて仕方がない、そう思うことがファンの心を動かすということ。二つ目の「E」は「Enjoy」で、いかに楽しく明るくやるかだが、ただ楽しくやればいいのではない。人間が最も美しく見えるのは、一生懸命に励み、人生を楽しむ姿だと説く。そして最後の「E」は「Excite」の興奮。感激は仲間に伝わるものであり、感情を適切に表すことで、チームの一体感は高まるという。

実践編でも配球がテーマであれば、野村が発案した九分割のストライクゾーン図を描き、「初球はここに変化球」と外角の低めに①、「次はここに真っ直ぐ」とインハイに②と次々と配球を図解しながら説明していった。

　これらの解説を野村はホワイトボードに書いていく。ときには白いボードが真っ黒になるほどの書き込み量となり、ボードを裏返すとそこも一杯になる。その間にマネジャーの松井優典が最初のものを必死に消して、次の準備をするような場面もあったという。

　それを選手たちも必死に書き写していく。

　学生時代から野球しかやっておらず、学校の授業はお昼寝タイムくらいの意識しかなかった選手が多い中で、自分の手でノートを作るという作業は決して楽なものではなかったはずだ。それでも野村はキャンプの夜のミーティングで延々とそれをやらせて、選手の心と頭に野村イズムを叩き込んでいった。その情熱についていったのが宮本であり、古田敦也であり、ヤクルトの高津臣吾や楽天の石井一久らの現役監督たちだった。

　結果的にはこの「ノムラの考え」が万年Bクラスだったヤクルトを強いチーム、

強い組織へと変革し、九年間で四回のリーグ優勝、三回の日本一という輝かしい結果をもたらすことになる。

ただ、その野村が唯一、「黒歴史」を認めた時代があった。

それは九九年から就任した阪神監督時代の三年間である。いずれも最下位に沈み、「私の野球人生において失敗だった」と後の著書でもはっきり明記している期間だ。

もちろん阪神というチームが持つ歴史的、構造的に特殊なチームカラーの問題もある。

阪神OBの重鎮でもある川藤幸三(かわとうこうぞう)を取材したときに指摘していたのは、「球団は常に監督や首脳陣よりスター選手を大事にする。監督より選手が偉いチームが強くなるはずがない」ということもその一つだ。

阪神と言えばお家騒動、内紛が常に話題となり、OBやマスコミを巻き込んだチーム内の派閥抗争が後を絶たない。監督の選任でもその派閥が強く影響して人事が混乱する。

野村も九八年オフに当時の久万俊二郎オーナーの肝いりで、三顧の礼をもって監督に迎え入れられた。しかし招聘の裏ではマスコミ関係者を含めて様々な思惑を持つ人々が暗躍し、久万を動かした経緯があった。

そして退任した二〇〇一年も、シーズン終了後に一度は翌〇二年の留任が発表されてもいた。しかし監督就任直後に巻き起こった沙知代夫人の経歴詐称騒動をきっかけに、この年の十二月には夫人が脱税容疑で東京地検に逮捕され、辞任を余儀なくされる。沙知代夫人の騒動を巡っては、以前から対立するメディアの激しいバッシングがあり、結果的に辞任に追い込まれたというのが正しい言い方だろう。

こうして球団とマスコミとファンが三位一体となった阪神という特殊な球団環境が最大の要因となり、監督・野村は何の成果も収めることなくユニフォームを脱ぐことになる。ただ野村自身がこの三年間を「失敗」として捉えた背景には、こうした外的環境だけではなく、実は自らが犯した過ちも含まれていた。

阪神での三年間を振り返った野村が、密かに悔いていたことがあった。それは就任後のキャンプ初日にいきなり「ノムラの考え　１９９９」というコピーを選手全員に配ったことだった。

もちろん野村のキャンプでのミーティングは阪神でも行われた。きっちり一時間というのも変わらなかったが、ただ一つ、ヤクルト時代からの変化は選手が熱心にノートを録ることがなくなったということだ。

野村は相変わらずホワイトボードに様々な「ノムラの考え」を書き上げる。しかしそうした講義の論点は、最初に配ったコピーに整理されて書き出されていた。

いわゆる板書から選手が「ノムラの考え」を書き写していたヤクルトと、ただひたすら講義を聞いて過ごした阪神。同じ一時間の過ごし方でも、天と地の差が生まれたのは、それが原因だったのではないか。

野村はそう考えていた。

いくら話をしても自分の考えが選手になかなか浸透していかないことへの苛立ち。しかし振り返ってみると、その原因は最初にコピーを配り、全てを見せてしまったこと、書き写すことで頭に入れていく作業を省略してしまったことにある。そう、「書くということは考えることと同義語」だったはずなのに、そうさせない環境を作ってしまった。その自分の失敗を、野村は悔いたのである。

ただその中でも「ノムラの考え」を必死に吸収しようとする選手もいれば、全く興味を示さない選手もいた。そして興味を示さなかった選手を、野村は徹底的に批判し干した。それが「監督より選手が偉い」阪神という特殊な球団の中では軋轢を生むことになる。

代表的な例が将来のホープと期待されていた内野手の今岡誠（現・真訪）だった。

今岡は野村が監督に就任する前年の一九九八年にはプロ二年目で打率二割九分

三厘の成績を残し、主軸打者への期待を背負った選手だった。しかし野村の目には、打つことにしか興味がなく、野球選手としての総合的な視点に欠けた選手で、野村の説く三つの「E」の一つ「一生懸命に励んで楽しむ」という姿勢が欠如した選手に見えたという。

野村の選手の評価には「無視」「称賛」「非難」の三段階がある。使うべきレベルにない選手には「無視」、試合に使い自信をつけさせたい段階の選手には「称賛」、そして一定の個人成績を収めてチームへの貢献を求めたい選手にはあえて「非難」という手法を使っていた。

野村は今岡を評価していたからこそ「非難」という手法をとったのである。ことあるごとにメディアを通じて苦言を呈した。ある試合で今岡が二遊間のゴロに飛びつくこともなくセンター前に打球が抜けて一点を失うと、試合後には監督室に今岡を呼んで、直接懇々とこう説いた。

「オレにはお前が一生懸命プレーしているようには見えない。一生懸命やっていると胸を張って言えるか？　チームの士気に関わる。お金を払って球場に来てくれるファンにも失礼だ。何かオレに不満でもあるのか？　あるなら言ってみろ」

しかし今岡は沈黙し、最後まで自分の野球を理解せず、心を開くこともなかったと野村は感じていた。

一方、野村の野球を熱心に吸収しようとしながら、ちょっとした行き違いでうまく関係を築けなかったのが、後に阪神の監督となった和田豊（わだゆたか）である。

それは野村が監督に就任したときの和田のコメントがきっかけだった。

「監督が変わっても自分たちがやる野球は変わるわけではない」

和田の真意は「監督が変わっても自分たちは勝つために全力を尽くすことに変わりはない」というニュアンスだった。だが、阪神の改革を旗印に監督に就任した野村は、変化を受け入れないとも取れるこのコメントから和田への先入観を持ってしまった。

「お前たちが変わらないからチームが低迷したままなんだ」

初めてのミーティングで野村は和田を名指しでこう怒った。怒りは起用にも反映し、冷遇した。野村が就任した九九年に和田は打率三割二厘という数字を残したが、規定打席に到達できずに終わり、二年後の二〇〇一年にはわずか三十七試合の出場、打率一割三分二厘でユニフォームを脱いでいる。

後に評論家として再会した野村は、和田からあの言葉の真意を聞き、いかに自分が野村の「考える野球」の信奉者であるかを説明されたという。そうして自分の誤解を詫び、和田への評価を大きく変えるようになった。

だが、そういう誤解もあって選手をうまく生かせず、ヤクルト時代のように生え抜きのチームの軸となる選手を作れなかった。そのことが結果的には阪神での「失敗の三年間」の背景となっていったわけである。

シャイで人見知りで自分からなかなか人には近づけない。それでも全身全霊でぶつかってきた人間には、その人の人生を左右するような指針を示せる、それが野村のリーダーとしての強さと弱さだったのである。

ノムさんを直接、取材する機会はあまりなかった。ただ、報知新聞の遊軍記者時代に、ヤクルトの監督だったノムさんに「人を育てるために一番、大切なことは何ですか？」と聞いたことがある。担当記者が休みをとって、その穴埋めで取材に来た顔もよく知らない記者の質問だった。するとノムさんはこちらを一瞥（いちべつ）して、しばし沈黙。そして返ってきたのがこんな答えだった。

「固定観念を持たないことっ！」

それだけ言うとそっぽを向かれた。

後で聞くと、相手を警戒していたり、不機嫌だったりするときの答えは短く、切り口上になるという。まさにその通りの答えだったが、そっぽを向いたノムさんはボソッとこんなことを言ったのである。

「報知は敵だからな」――。

わざとそんな言葉を付け加えて、自分の素っ気ない返事の理由を私に説明したのだ。

それもノムさんの気遣いだったのである。

選手が考えなくなる環境を
監督自ら作ってしまった

8

原辰徳と高橋由伸のかつての失敗とは

高橋由伸は監督として不適格だったのか？

二〇一五年十月二十六日。

東京・大手町の「パレスホテル東京」にテレビの中継車が次々と横づけされ、マスコミ関係者が詰めかけてきていた。この日の夕方からこのシーズン限りで巨人監督を退任することを発表した原辰徳の後任となる高橋由伸の新監督就任会見が行われたのである。

「いままでの先輩たちが作り上げてきた伝統を守りつつ、自分らしさも出しながら何とか……。不安はいっぱいあるが、覚悟を持って邁進していきたい」

高橋がこう語って、粛々たるムードの中で新監督の誕生が告げられた。会見では白石興二郎オーナー（当時）や高橋から「原野球の継承」という言葉が何度も飛び出していた。もちろん前監督に敬意を表してということもあるが、それと同時にそれくらいに原が監督として残した実績は重く、歴代監督の中でも川上哲治、長嶋茂雄に比肩するものだったということだ。

○六年に二度目の監督に返り咲いた原はこの第二次政権の十年間で六度のリーグ優勝と二度の日本一を達成。退任前年の一四年にはリーグ三連覇を成し遂げ、一五年シーズンも優勝こそ逃したとはいえ二位を守って決して惨敗したわけではない。

その監督が一度のV逸で退任する。そのこと自体がある意味、不自然でもあった。

確かに後に本人が「プロ野球は三年周期でチームの変革期が訪れるのに、そのことに手当ができなかった」と振り返ったように、チームは変革期に乗り遅れていた。その世代交代の失敗もあり、シーズンとその後のクライマックスシリーズでヤクルトに苦杯を舐めさせられたという事実はある。

だがそれ以上に、後述する一回目の監督退任の際の原と球団幹部の確執が根深かった。その確執をよく思わない読売新聞グループ本社の一部が、首脳陣を含めた世代交代の必要性を掲げて監督交代を強引に推し進めたという背景も大きかったわけである。

原の退任が先にあり、結果としてこの年まで現役でプレーしていた高橋に白羽の矢が立った。高橋にとっては半ば強引にユニフォームを脱がされる形で監督交代劇は進められたのである。

高橋は兼任コーチという名目はあったが、実質的には指導者としての経験は皆無で、そのことを不安視する声もあった。それでも監督に就任すると、「原野球の継承」ではなく、自らの理想を追い求めて独自の路線を歩み出すことになる。

「打線はできるだけ固定したい」

新監督が打ち出した方針だった。

当たり前の言葉だが、実はここに一つのメッセージがある。

前任者の原の選手起用はある意味、非情だった。臨機応変、変幻自在な原のタクトに、チームの柱である四番打者を含めて先発オーダーは猫の目のように変わり、そのことに選手からは戸惑い、不満の声が湧き出ることもあった。

「なぜ自分を使ってくれないのか？」

「なぜ外されるのか？」

「なぜ代打を送られるのか？」

「なぜマウンドを降ろされるのか？」

勝つために選手を駒として考え、ときにはプラグマティックな起用に徹する。

そんな原の長期政権の中で選手たちには、少なからず不満の感情が膨れ上がることがあった。選手として晩年を迎えていた高橋自身も、同じ心の動きを持ったことがなかったと言えば嘘になるだろう。

自分が指導者になったら、選手の気持ちを尊重し、選手に寄り添い、信頼される存在になりたい——それが監督としての高橋の理想像だったのである。

高橋と、外野手の重信慎之介（しげのぶしんのすけ）を巡ってこんな話をしたことがある。

一五年のドラフト二位で巨人に入団してきた重信は、早稲田大出身で五十メートルを五秒七で走る俊足の持ち主だ。身長も百七十三センチと小柄で一番打者候補となるべき選手で、本人は早大の先輩である青木宣親（あおきのりちか）に憧れヒットメーカーを目指していた。ただ、プロの世界ではバッティングの精度や選球眼がもう一つで、なかなか殻を破れないのも事実だった。

それなら足を生かしてスリコギ型のバットを持たせてゴロを転がせたらどうか？

ヤクルトの監督だった野村克也がよくやったのは、選手を型にはめて育てていく方法である。

巨人でも長嶋茂雄が〝青い稲妻〟と呼ばれた松本匡史をトップバッターに育てるために、強制的に打撃スタイルを変えさせた。そんな例を引き合いに話をすると、高橋の答えは意外なものだったのだ。

「失敗したら誰が責任を取るんですか？　選手は生活をかけて野球をやっている。強制的にやらせて失敗した本人は、悔やんでも悔やみ切れない。僕は監督として勝敗には責任は取れるけど、彼の野球人生には責任を取れないです」

プロ野球は実力の世界である。

自分もそうやって決断し、自分で道を切り開いてきた。だからこそ監督の独善的な采配や選手起用で、選手の野球人生を潰すようなことはしたくないという思いが強かった。

力のない選手は淘汰（とうた）され、実力者だけが生き残る。ただ、高橋はそこで淘汰されていく選手たちにも、しっかりと目を注ぎ、その心情を慮（おもんぱか）って動かそうと思った。

だが、それでは結果が残らなかった。

勝てなかったのだ。

監督在任の三年間で高橋が残した成績は二位、四位、三位とついに優勝ペナントを手にすることはできなかった。しかも二年目にはBクラスに転落し、球団初のクライマックスシリーズ進出を逃すという屈辱も経験した。

選手に憎まれても、ときには非情に徹した決断をしなければならない。それが目の前で結果を求められるプロ野球の監督という仕事なのである。

選手からは慕われたが、監督として結果を残すことはできずに、高橋の指導者としての評価は大きく下落した。

だから監督には不適格なのか？

だが、そうとも言えないのは、いまや名将と言われるあの原も実は同じ失敗をしているからだった。

最初に監督に就任した〇二年。

原が掲げたキャッチフレーズは「ジャイアンツ愛」だった。熱烈にチーム愛を説き、その代わりに監督も選手に寄り添うことを目指す。そんな高橋と似た指揮官だった。

その背景にあったのは、自身がプレーヤー晩年に味わった不遇のときへの思いだった。

一九九三年に長嶋茂雄が十三年ぶりに巨人の監督に復帰したときに、そのことを最も喜んだ一人が選手時代の原だった。

かつて打撃不振に苦しんだときに原は長嶋の個人指導を受けたことがある。東京・田園調布の長嶋の自宅に連日、ナイター終了後に通ってマンツーマンで指導を受けた。松井秀喜が長嶋の「四番育成千日計画」でマンツーマン指導を受ける以前に、長嶋と原の間には密かな師弟関係があったのである。

そんな長嶋の復帰に歓喜した原だったが、そこで待っていたのは厳しい現実だった。

「長嶋茂雄さんは、選手を大人扱いするが、その分非常にドライだった。『ん～』というあの雰囲気は温かそうに見えて、これが結構ドライなのだ」

後に原は自著『原点』で監督・長嶋をこう語っている。

原が監督・長嶋への憧れを決定的に失ったきっかけは、九四年九月七日の横浜戦での〝代打一茂事件〟だと言われている。七回のチャンスで打席に向かう原を呼び止めた長嶋は、代打に長嶋一茂を指名した。結果は一茂が初球を打って三ゴロに倒れてチャンスは潰えた。満身創痍で巨人の四番を守り続けてきた原の何かが、このときプツリと音を立てて切れたという。

そういう経験をしたことが、最初に監督に就任した原の原点としてあったのだ。原もまた就任したときには「長嶋野球の継承」という言葉を口にしている。しかし、実際のところは監督・長嶋は反面教師だった。

選手を信用し、選手から信頼される監督として、共に戦う仲間として掲げたのが「ジャイアンツ愛」という言葉だったわけである。

就任一年目は松井秀喜が五十本塁打を放って見事にリーグ優勝を果たし、日本シリーズでも西武を四連勝と圧倒。いきなり頂点に上り詰めてはいた。

だが二年目の二〇〇三年に、原は監督としての大きな蹉跌を味わうことになる。前年オフに松井がメジャーへ移籍し、代役としてヤクルトで松井と本塁打王を争ったロベルト・ペタジーニを獲得したが、この年は開幕から故障者が続出。投手陣の不調もあって五月には阪神の独走を許すシーズンとなった。九月になると首位から十ゲーム以上の大差をつけられ、優勝は絶望的となっていた。

九月十六日にナゴヤドームの中日戦で二対十九と大敗。九連敗で勝率五割を切って、Aクラス入りすら危ぶまれる状況となっていた。

そんな試合後のホテルで事件は起きた。

宿舎に戻った原は球団幹部に呼ばれて、ホテルの部屋を訪ねた。するとその幹部がソファーに踏ん反り返るように腰掛け、両足はテーブルの上に無造作に投げ出していた。そうして部屋に入ってきた原を一瞥すると、冷めた目で言い放った。

「それで明日（の先発）は誰でいくの？」

一瞬、天を仰いだ原が答える。

「予定通りに桑田でいきます」

するとあからさまに怒気を含んだ声が返ってきた。

「桑田で勝てるのかね」

翌日の先発を巡るやりとりだった。

結局、原は宣言通りに翌日の中日戦に桑田真澄を先発させ、五対三で連敗をストップさせた。しかし十八日に帰京すると、十九日には東京・大手町の読売新聞東京本社を極秘に訪れて、当時の渡邉恒雄（わたなべつねお）オーナーに辞意を伝えている。

V逸の責任もある。ただ突然の辞意表明には、名古屋の〝事件〟に象徴されるフロントや本社との確執があった。

怒りに任せて、ケツをまくったのである。

この行動が読売新聞グループ本社の最高幹部との間に大きな溝を生むことにな

ったのだ。

ただ一方の原自身は二年後の〇五年オフに再び巨人の監督に復帰した際に、このときの自分の行動を冷静に総括していた。

「あのときオレは自分の感情だけで決断をしてしまった。そのことをすごく悔いている。本当にチームを愛しているなら、自分の感情なんかで重大な決断をしてはダメなんだ。個人的な感情で決断したことが、どれだけチームにとってマイナスをもたらすか。そのことをあの二年間で学んだ」

それがその後の監督・原辰徳の原点でもあった。

監督として、指導者としていったい自分には何が足りなかったのか？　監督を辞した原は屈辱の退任劇への反省とともに、指導者としての自分を冷静に見つめ直した。結果的には監督を辞めてその不足を補う作業をしたことが、後の成功への大きな転機となるのである。

「自分もヘッドコーチからそのまま監督になって、そういう意味では野球にどっぷり浸かったままの状態で監督に就任してしまった。ひとことで言ったら、まだまだ巨人の監督としてのページが足りなかったということなんです。色々な意味で経験が足りなかったし、まだまだ野球の世界だけではなく勉強をしなければならないことが多かった。そのことが失敗の大きな理由だったと思う」

だからチームを離れた二年間で精力的に野球界とは違う世界の人々と会った。企業の経営者に会い、人の束ね方、組織の動かし方などリーダー論を学んだ。野球ではない他のスポーツ界の人々や芸術家、文化人と積極的に交流を持って知識を広げて、巨人の監督としての〝ページ数〟を増やすことに邁進した。

そうしてリーダーとしての資質に磨きをかけたことで二度目の監督に復帰した二年目の〇七年に巨人は五年ぶりのペナント奪回を果たし、〇九年にはリーグ三連覇とともに、念願の日本一奪回をも成し遂げたのである。

そこから原は名実共に名将への道を歩み出すことになっていく。

就任から三年連続で優勝を逃した高橋は、一八年の九月に監督退任が内定し、十月三日には正式発表された。

ただこの退任劇を境に高橋の采配は明らかに変わっている。

九月二十三日の阪神戦で故障上がりの畠世周（はたけせいしゅう）投手を中継ぎで起用した際に、投手総合コーチの斎藤雅樹からは「一イニング限定」と制約をつけられていた。しかし高橋がそれを覆して回またぎで二回を投げさせたのである。

これまでは選手ばかりではなく「結果によって出処進退を問われる立場だから」とコーチの意見も尊重してきた。コーチが進言してきたことは、ほとんど受け入れその通りに決断してきたが、このときはそれまでなら確実に受け入れているはずの進言を制して、自分の思い通りに畠を続投させたのだ。

実はそこに高橋の監督としての本質が隠されているようにも見えた。

「我々の最大のミッションは勝つことです。そのために監督は状況を的確に把握して、決断するのが仕事になる。その決断のためにはときには鬼にならなければならないこともある」

初めて監督となったときに「愛」を語った原も、三度目の監督に就任したときには、こう厳しい言葉を口にするようになっていた。

もちろんチームや選手への愛情を失っているわけではない。人材を育成し、組織の強い結束、和を作り出すことの大切さも十二分に承知している。

しかし監督に求められる最大の資質は、非情になれること――そのことに気づいたのである。

高橋もまた三年間の監督生活の最後の最後に、監督の非情さを示す場面を見せた。

一九年に高橋の後を受けて監督に返り咲いた原は、復帰一年目に見事にセ・リーグの覇権を奪回し、この事実がなおさら、監督の手腕、能力ということに注目を集める結果となった。

そして最初の命題が囁(ささや)かれる。

高橋由伸は監督として不適格だったのか？

この問いに対する答えはまだ分からない。

ただ、原がそうであったように高橋も一度の失敗で「失格」の烙印を押されるのは早いはずである。

問題は失敗の本質を高橋がどう考え、再起に向けてどう行動するかということだ。

リーダー・高橋への評価は、それからでも遅くはない。

リーダーとして非情になれなかった

9

リーダーという存在は
そもそも必要なのか

二〇〇九年のＷＢＣで世界一に輝いた「侍ジャパン」は、これまでの歴代日本代表の中でも、最強と言えるバランスのとれたチームだった。

投手陣は当時、ボストン・レッドソックスで活躍していた松坂大輔に日本ハムのダルビッシュ有、楽天の岩隈久志に田中将大と後にメジャーリーガーとなるピッチャーたちを軸に、ソフトバンクの杉内俊哉、西武の涌井秀章にリリーフ陣は阪神・藤川球児と巨人の内海哲也、山口鉄也らの豪華布陣を揃えていた。捕手には主戦でメジャーリーガーだったシアトル・マリナーズの城島健司を据えて、控えに巨人・阿部慎之助と広島・石原慶幸。野手もバリバリのメジャーリーガーだったマリナーズのイチローとタンパベイ・レイズの岩村明憲、シカゴ・カブスの福留孝介、ヤクルト・青木宣親、巨人・小笠原道大、横浜・内川聖一、日本ハムの稲葉篤紀らが顔を揃えていた。

これ以前のオリンピックや、以降のＷＢＣなどでも、もちろん日本代表は何度も結成されてきた。しかし現役メジャーリーガーが5人も参加した、これだけ豪華メンバーの揃った〝ドリームチーム〟は、過去にもそれ以降にも実現はしていない。

代表監督は当時、巨人で二度目の指揮を執っていた原辰徳。この大会でチームは決勝戦で宿敵の韓国と激突している。この試合ではダルビッシュがクローザーで登板し、同点の延長十回二死二、三塁からイチローがセンター前に劇的な決勝タイムリーを放って、日本が韓国を振り切り世界一連覇を果たした。

試合後の優勝会見。イチローが「侍ジャパン」というチームについて、こんなことを語っている。

「よくチームにはリーダーが必要だという安易な考え方がありますけど、今回のチームには全く必要なかった。それぞれが向上心を持って、何かをやろうという気持ちがあれば、そういう形はいらない。むしろその方がいいと思いました。僕は外からリーダーのような存在だと言われましたけど、実際、中では何もなかった。向上心があればチームはいくらでも可能性が見出せると思います」

実はこのチームは結成当時から、イチローをリーダー役とする声が多くあった。〇一年にマリナーズに移籍したイチローは、この頃すでにメジャー九年目を迎え、名実共に米国でもトッププレーヤーとしての地位を確立していた。しかも王貞治（現ソフトバンク球団会長）が日本代表を率いた第一回大会にも参加し、金メダルの原動力となってもいる。まさに実力、経験を併せ持つ、侍ジャパンのリーダーにはうってつけの人物だったわけである。

ところがいざ大会が始まると、日本ラウンドからイチローは全く振るわず、スランプのどん底に落ちてしまった。

米国に渡ってロサンゼルスで行われた決勝ラウンドに進んでも不調は続き、決勝戦前までの打率は二割一分一厘で打点もわずかに三。敗者復活戦のキューバ戦では無死一塁で、サインも出ていないのに自らセーフティーバント（送りバント）を試みて、これが小フライとなって凡退するという屈辱的な場面も演じていた。

リーダー役を押しつけられたような形だったが、自身がそれどころではない状態が続いていたという背景があった。

ただ、リーダーが機能しなければ、侍ジャパンというこのチームも機能不全に陥ったのか？　リーダー役がいなければチームは結束できなかったのか？

実際はそうはならなかった。

理由はこのチームの個々の選手の能力が高く、それぞれが自分の役割をしっかり理解し、そのために自分で行動することができたからだった。言うならばそれぞれがリーダーとして振る舞える集団だったからである。

そういうメンタルと力を持った選手の集団だからこそ、イチローがスランプに悩む間も、それをカバーして勝ち進み、最後の最後にあの決勝タイムリーへとつなげられたのだった。

そこに侍ジャパンというトップチームの強さがあったのだが、実はこの個々の選手がリーダーとなるという考え方は、メジャーでは一般的に広まっているリーダー論でもあった。

メジャーでは、そもそもリーダーのイメージが日本のように統率型だけではない。様々な場面で様々なリーダーの形があるという考え方が、野球ばかりでなくアメリカンフットボールやその他の集団スポーツ、また社会の中でも広く一般的になっている。

メジャーに昇格した選手は、まずチームで自分がどんなタイプのリーダーになれるのか、どんなリーダーを目指さなければならないのかということを教育される。

また実際にそこには様々な形のリーダー像がある。

典型的なのは一九九〇年代から二〇〇〇年代前半にかけて、黄金時代を築いたニューヨーク・ヤンキースだった。

当時のヤンキースには「ザ・キャプテン」と呼ばれたデレク・ジーターのように、統率型のリーダーがいた。しかしその一方で、バーニー・ウィリアムスのようにプレーでも私生活でも模範となる行動を示すことで、チームの意識を高めるリーダーとなった選手もいた。また絶対的クローザーだったマリアノ・リベラはチームが危機的な状況でも笑顔を絶やさず、厳しい場面で相手打者を平然と抑え込んでベンチに戻ってきた。そうすることで選手たちに勇気を与えるリーダーでもあった。

もちろん〇三年にヤンキースに移籍した松井秀喜も、チームへの献身的なプレーをして若手選手たちの模範となることでリーダー役を務めていた。

言葉なのか、グラウンド内外での模範的な行動なのか、または危機的状況に面したときの冷静さなのか……それぞれが場面、場面でリーダーとして振る舞える選手が多く存在した。そしてそれぞれが飛び抜けた実力者であり、自分の役割を徹底してこなす責任意識を持っていた。そういうリーダーが大勢いたことで組織が有機的につながり活性化していったのである。

その結果がヤンキースのあの黄金時代だった。

日本では一人の統率型リーダーがいて、そのリーダーが引っ張って組織を活性化するという考え方が一般的と言える。しかし、それではリーダーが倒れたときに、組織そのものも倒れる危険性を孕(はら)んでいる。

だからメジャーでは一人の統率型リーダーを求めるのではなく、個々の構成員を独立したリーダーとして育てる。それぞれが組織全体のためにどういう働きができるのかを追求し、それが結果的には全体の活性化につながるという結論を導き出しているのである。

イチローがＷＢＣの会見で語った「リーダーが必要だという安易な考え方」という言葉は、まさにこの統率型リーダーばかりを求める日本的なリーダー論を批判したものだった。そして「それぞれが向上心を持って、何かをやろうという気持ちがあれば、そういう形はいらない。むしろその方がいいと思いました」と語ったのは、個々がリーダーになれるし、その方がむしろ組織としてはより強固な、危機管理のできたものとなるからだった。

そのことをイチローは言いたかったのである。

もちろんメジャーでこうした組織作り、人材作りができるのは、その考えを支えるたくさんの有能な人材とそれを生み出す強固なマイナー組織の存在もある。メジャーリーグには世界各国から様々な人種、宗教の選手が集まり、マイナーリーグからルーキー、Ａ、２Ａと階段を上って、最後は３Ａからメジャーへと昇格していく。凄まじい生存競争を勝ち抜いて、それだけの力のある選手のみが生き残って、メジャーリーグという頂点の世界に辿り着くわけである。

その競争を勝ち抜くために、もちろん何より必要なのは野球の才能と技量であるのは言うまでもない。ただ、その過程で人間性や組織、集団への適応能力、またそれぞれのチームが持つカラーにフィットするのかどうか。そういう部分も丁寧にはかりにかけられて、もしチームに合わないという結論が出れば有望選手でも他チームへとトレードで放出されていく。この厳しい競争原理がメジャーという組織を支える一番の柱なのである。

ただ、その一方でメジャーに上がれば移動に次ぐ移動で全米を飛び回りながら、厳しい試合をこなしていくことになる。チームメイトやスタッフは、単なる仕事の同僚以上の存在となる。

ヤンキース時代の松井秀喜がこんなことを言っていたのを聞いたことがある。

「トーリ（ジョー・トーリ、松井が移籍時のヤンキース監督）からは、よく『ヒデキ、きみは家族なんだから、困ったことや悩みがあるときはいつでも相談してくれ』って言われる。メジャーではチームが家族だという考え方が浸透していて、だから家族のルールを守ることは選手の義務だし、家族のカラーを守ることも、チームの主力選手となる上ですごく重要な仕事の一つになる」

この話を聞いたときに思ったのは、アレックス・ロドリゲスの存在だった。スーパースターで野球で残してきた実績は、それこそ同年代のジーター以上のものがあった。それでもヤンキースというチームにいると、どこかそぐわない、どこかこのチームとは違った匂いのする選手となってしまっていた。

A・ロッドはそういう意味では、ヤンキースという家にはそぐわない選手だったのかもしれない。

メジャーではベンチ裏の選手スペースは「ロッカールーム」ではなく、「クラブハウス」と呼ばれる。

要は選手が帰ってくる「家」なのである。

そこで選手はリラックスしてくつろぎ、〝家族〟とともに戦いへの活力を養う。

だから選手は「いいクラブハウスプレーヤーになれ」と教育される。

日本ではどこまで行ってもチームの上下関係は絶対であり、だからこそ統率型のリーダーが力を発揮する場所が多い。

しかしメジャーではクラブハウスに戻ったら、選手同士は家族として対等であり、絶対的な服従関係もない。だからこそそれぞれの選手が独立して、自分らしいリーダー像を描いてグラウンドに立てるのである。

一九年に三度目の監督として巨人に復帰した原に、〇九年のWBCの話を聞く機会があった。

「自分にとっては非常に大きな財産となる経験だった」

原は日本代表のようなドリームチームを率いる難しさをこう語っていた。

「混成チームというのは、マルになるのかバツになるのか、結果は二つに一つしかない。あのときの『侍ジャパン』は錚々(そうそう)たるメンバーの揃ったチームでした。そこでやっぱり個の力を引き出せなければ、このチームの良さは発揮できないし、決して強い組織は作れないと思った。しかし自己犠牲の精神がなければ、いくら強い個の集団でも脆(もろ)さが生まれてしまう。ＷＢＣであの究極のチームを率いたことで、改めてそのことを痛感しました」

それはその後の巨人でのチーム作りにも反映されていると原は言う。

「僕の理想のチームは、リーダーがたくさんいることですね。要するに自分が監督だ、という気持ちで野球をやっている人を何人作れるかだと思います。やっぱり監督というのは、どこの監督さんも勝つことに必死で全力です。一人でも、二人でも、三人でも四人でも、その意識を持っている選手がいることです。そういう監督の気持ち、意識を持ったリーダーをたくさん作ることです」

これはまさにメジャー型のリーダー論なのである。

「そういうリーダー意識がない人間は、組織に入ったときには大したエネルギーは出せない。自分の調子がいいときは先頭に立っていいでしょう。しかしリーダーとなる人間、そういう意識を持っている人間というのは、自分が逆境に立ったときに何とかするぞという強い意志があるかです。そういうものが僕は真のリーダーシップであり、そういう選手が一人でも多くいる組織こそが強い組織だと思っています」

WBCを経験し、代表チームを率いたことで、その後の原は日本型の統率型リーダーが引っ張るチームではなく、メジャー型の組織作りに邁進してきた。

それが今日の巨人の強さの理由の一端なのである。

個々の構成員を
独立したリーダーに

10

ナンバー2のヘッドコーチはどんな人間が適任なのか

あまり知られていないが、二〇二〇年に急逝した元ヤクルト監督・野村克也の野球論の、生き字引きのような人物がいる。

ヤクルト、阪神、楽天でマネジャー、ヘッドコーチ、二軍監督などを務め、野村の補佐役として長く傍に寄り添ってきた松井優典である。

松井は和歌山・星林高校から一九六八年のドラフトで捕手として南海に入団。このときに同じ捕手で選手兼任コーチだった野村の知己を得る。その後、南海で内野手に転向したが、選手としては鳴かず飛ばず。七五年にはトレードでヤクルトに移籍した。ヤクルトでも大きな活躍を見せることはなく、七九年のシーズンを最後に現役を引退している。

しかし松井が真価を発揮したのはむしろユニフォームを脱いだ後だった。現役引退後にヤクルトで球団職員となると、元来のコミュニケーション能力の高さと面倒見の良さで名マネジャーとして鳴らし、「チームの全てを知る男」と呼ばれるようになった。

そうして野村がヤクルトの監督としてやってきたのが九〇年のことだった。実は松井を南海からヤクルトにトレードで出したのは、当時、兼任監督をしていた野村で、その後、しばらく二人の関係は没交渉となってしまっていた。しかし松井がヤクルトのマネジャーとして敏腕を発揮したことで、夫人の沙知代から運営していた少年野球チームのことなどでも手助けを頼まれて縁が復活。この頃には野村の絶大な信頼を得るようになっていたのである。

野村が監督に就任すると、陰に陽に野村をサポート。キャンプの夜のミーティングでは、野村が様々な「ノムラの考え」をホワイトボード一面にびっしり書き込んで、それを選手にノートに録らせるのが日課だった。

そのミーティングでは「ノムラの考え」でホワイトボードが一杯になると、すかさず松井がボードを新しい真っ白な面へとひっくり返す。そこにまた野村が、新たな「ノムラの考え」を書き込んでいく間に、松井が裏側の書き込みを消して、新たに真っ白な面を作り出す、阿吽（あうん）の呼吸の連携があったという。

こうして野村のミーティングを常に裏方として支えていた松井は、自然と毎年毎年、野村の講話を聞き、そのエキスをしっかり消化し、自分のものとしていった。

あるベテランの野村番記者から聞いた話だ。

「あるときノムさんがトスバッティングの話をしたんですが、日本で最初にトスバッティングをしたのは誰かというのを思い出せなかったときがありました。すると松井さんが『中西太（なかにしふとし）さんですね』と助け舟を出していました。中西さんがティーの上にいちいちボールをのせるのが面倒で、近くにいた後輩にトスをさせて打ったのが、トス打撃の始まりなんだそうです。これはノムさんのネタでしたが、松井さんはそういう細かなエピソードまで、全て野村さんの話は頭の中に入っていました」

そしてもう一つ、野村が松井を気に入っていた理由は、あくまで松井は野村が困ったときや野村の目の届かないところで支えるのに徹したことだ。決して前に出過ぎないところも野村が松井を信頼していた理由だった。

実は監督の右腕となるヘッドコーチには二つのタイプがある。

一つがこの松井のように監督の目指す野球、チーム作りを補佐してサポートする調整型。そしてもう一つは監督の不得手なことや、不足しているところを補完してチームが正しい方向に動くように仕向ける補完型である。

松井は九四年からヤクルトでは二軍監督、一軍総合コーチ、一軍チーフコーチを歴任し、ノムさんが阪神監督になるとヘッドコーチとして共に虎のユニフォームにも袖を通した。その後は二〇〇五年に創設一年目の楽天に移って二軍監督に就任し、シーズン途中に成績不振で任を解かれた山下大輔（やましただいすけ）ヘッドコーチと入れ替わりで一軍ヘッドコーチも務めている。

しかし〇六年に野村が監督に就任すると、一軍ではなく二軍監督に戻った。もちろん創設間もないチームで戦力も不足し、一、二軍の連携を密にするという方針もあった。ただその人事の背景にはもっと決定的な理由があったのである。

野村の年齢的な問題だった。

すでに監督就任時で野村は七十歳という年齢にあった。

もちろんそれでも野村克也である。新聞記者やメディアに向かってのボヤきも健在だった。それればかりでなく野球でも再生工場と言われた選手の力を見抜く眼力、チーム作りの手腕は衰えることはない。また実際、グラウンドでも、その名前だけでまだまだ相手チームと勝負もできた。

ただ試合中の采配については、往年の瞬発力の衰えへの不安は隠しようのないところでもあった。刻一刻と変わる戦況を見ながら、作戦を変えて、選手を起用する。一瞬の判断の遅れが、勝負の行方を決めることになってしまう。

そこで野村は自分に足りないスピード、瞬発力をスタッフに求めた。だから〇七年には外野守備走塁コーチだった門下生の橋上秀樹（はしがみひでき）をヘッドコーチに、〇八年にはバッテリーコーチに実子の野村克則（かつのり）を加え、打撃コーチの池山隆寛（いけやまたかひろ）を含めた若いスタッフを配した。

試合前には橋上を中心にスタッフで入念にデータの整理をして、試合が始まるとそのデータをもとに、刻々と変化する状況を見ながら橋上が監督に作戦を提案する。

作戦だけでなく代打、代走の起用から投手交代までコーチ陣が提案し、それを野村が判断して、その判断の下に試合は進んでいった。それが楽天での野村野球の姿だった。このスタイルを成立させたのは、今度は補完型のヘッドコーチである橋上の存在だった。

この補完型のヘッドコーチには名参謀と言われた人物が多い。

「星野～のためな～ら、女房も泣かす～」

カラオケでマイクを握ると都はるみと岡千秋の昭和の名曲『浪花恋しぐれ』をこう熱唱したのは、中日、阪神で監督・星野仙一を支えたヘッドコーチの島野育夫である。

「島ちゃんがいなかったら、オレは中日でも阪神でも優勝できなかったと思うよ」

生前の星野がしみじみこう語るのを聞いたことがある。

「仙さんも怖かったけど、それ以上に怖かったのは島野さんだった」

中日時代に島野の薫陶を受けた現中日二軍監督の仁村徹はこう嬉しそうに思い出を話す。

栃木・作新学院高校から社会人を経て一九六三年に中日に入団した島野は、六八年に南海に移籍したことが野球人としての転機となった。

南海では七〇年から野村の下でドン・ブレイザーが「シンキング・ベースボール」を掲げて、データ野球やメジャーから持ち込んだルール違反スレスレの野球の流儀を選手に叩き込んだ。

島野もまた、そこで相手のスキを突き、あらゆるものを利用して勝利へとアプローチしていく弱者の野球を学んだ一人である。

指導者となるとあらゆる情報を集めて、それを勝利へと結びつけるための方策を考えることを得意としたコーチだった。特に相手投手の癖を見抜く達人として知られ、三塁コーチスボックスから打者に対して声を出して球種を知らせることもできた。

「野球の原点と戦術に長けたベテランコーチ」と島野を評した投手出身の星野には、攻撃面、守備面を補完する右腕として欠かせない存在だったのである。そしてチーム作りという面でも激情型の星野の性格を知るからこそ、島野はあえて〝悪役〟を買って出ることもあった。

「オレはチームに元気がないのが、一番嫌なんや。だから選手にはいつも元気出せ、元気出せと口を酸っぱくして言う。空元気でもムリして元気を出しているうちに本当の元気になることがあるからね」

中日のコーチ時代に島野がそんなことを言っているのを聞いたことがある。ただし元気のない選手は叱り飛ばし、手を上げることも多かった。

「オレが手を上げないと監督が上げてしまう。だから元気のない選手やミスをした選手はオレが先に叱るんだよ」

その絶妙なコンビネーションを星野も理解していた。阪神の監督就任が決まった際には、わざわざ名古屋に出向いて、当時中日でヘッドコーチをしていた島野の譲渡を球団社長と直談判。最終的には島野を阪神のヘッドコーチとして迎え入れることに成功している。

だからこそ島野も「女房を泣かせても」星野のために働き、阪神のぬるま湯体質の改革をやり遂げた。そうしてこのコンビで二〇〇三年には見事に十八年ぶりのリーグ優勝を成し遂げることに成功したのである。

星野と島野の関係と同じように投手出身の藤田元司を支えて、巨人の優勝に貢献した近藤昭仁（こんどうあきひと）も補完型のヘッドコーチだった。

近藤がコーチとしての才を発揮し出すのは早大の先輩でもあった広岡達朗が監督をしたヤクルト、西武でコーチ業を学んだことからだった。

その後、一九八九年に藤田が巨人で二度目の監督に就任。島野と同じく近藤も、藤田には経験がない野手の指導と攻撃面でのサポートを役割として二度の優勝に貢献した。

ヘッドコーチとしての近藤を物語るエピソードがある。

ある試合で同点の終盤に一死二塁からセンター前ヒットで二塁走者の篠塚利夫（しのづかとしお）（現・和典（かずのり））が三塁コーチャーの近藤の制止を振り切って本塁に突入。結果的にはセーフとなって、巨人はこの試合で勝利を収めた。

試合後のミーティング。近藤は制止を振り切った篠塚の本塁突入について、自分の判断ミスを認め、全員の前で頭を下げて謝罪した。

しかし顔を上げた瞬間に篠塚の方を見てこう言ったのだという。

「止めたのはオレの判断ミスだったが、制止を振り切って本塁に突っ込んだのはサイン無視。罰金は払ってもらう！」

親分肌で情に厚く、選手を束ねることを得意とした藤田の下で、近藤はそうして選手に厳しさを植えつける役割を果たし、チームのバランスを整えていった。もちろん攻撃や守備面の作戦でも、藤田の手助けをすることによって太い絆で結ばれていた。

Ｂクラスの四位に終わった九一年オフには、藤田に代わって責任を取る形で巨人のユニフォームを脱いだ。その後は横浜ベイスターズ、ロッテ・オリオンズの監督を歴任。若手を抜擢し、チームの改革に手腕を発揮したが、その一方でロッテ時代には日本記録となる十八連敗を記録するなど、成績面では満足のいくものを残さずに退任している。

監督・近藤には、自分を補完してくれるヘッドコーチ・近藤はいなかった——それが監督となった近藤の悲劇だったのかもしれない。

「ヘッドコーチの仕事というのは、チームが歩いていく後を見回して、落ちているものを拾っていくことなんですよ」

こう語るのは巨人などでヘッドコーチ、二軍監督を務めた須藤豊（すどうゆたか）である。

須藤は高知商業高校から毎日オリオンズ、大毎オリオンズを経て巨人に移籍してきた内野手だった。

現役引退後は巨人、大洋などでコーチ、二軍監督を歴任し、九〇年から三年間は大洋で監督も務めた。そして九三年の長嶋茂雄の監督復帰とともにヘッドコーチとして再び巨人のユニフォームを着た。

須藤のヘッドコーチ論。

「もちろん監督の補佐をする。チームが円滑に動くように目配せし、ときには選手に大目玉を喰（く）らわせる。でも、チームが歩いていく後を見回して、落ちているものを拾っていく。それもヘッドコーチの大事な仕事なんです」

須藤がその仕事を見事なまでにやり遂げたのが、九四年に最終戦で同率の中日とリーグ優勝を争った「10・8決戦」だった。

この試合はクローザーの桑田真澄が中日の最後の打者・小森哲也（こもりてつや）を三振に仕留めて六対三で巨人が勝利、優勝決定の瞬間には全選手がマウンド周辺に集まり、その輪の中から長嶋が五度、宙に舞った。

胴上げを終えた長嶋と選手たちは、次にレフトスタンドの巨人ファンのもとに走っていくが、この動きに取り残された選手が一人いた。

後に中日監督となる落合博満だった。

この試合でも先制本塁打に勝ち越しタイムリーと活躍した落合だが、三回の守備で左太もも内転筋を断裂するケガをして途中交代。その後はベンチから戦況を見守っていたが、歩くことも困難で胴上げにも参加できず、輪の外から長嶋が舞うのを見守った。

そしてナインが外野に走り出したとき、落合にそっと肩を貸したのが須藤だった。

「勝った瞬間からオチ（落合）のことが気になっていたんですよ」

優勝の瞬間にベンチからグラウンドに出るときに肩を貸したのも須藤だった。みんなの後を追って、最後にレフトスタンド前に辿り着いたときも、落合を支えて歩いたのは須藤だった。そこでようやく長嶋と対面できた落合は、抱き合って泣いたのである。

あの壮絶な戦いを勝ち抜きリーグ優勝を達成した瞬間にも、須藤は冷静にチームに落とし物がないか、を見ていたのである。

「ヘッドコーチの目標は、やっぱり須藤さんですね」

二十五年後の二〇一九年オフ、原辰徳監督の下でヘッドコーチに就任した元木（もとき）大介（だいすけ）はこう語った。

元木は引退後の長いタレント生活を経て一八年オフに、再び指導者として巨人のユニフォームを着た。選手時代は抜群の野球センスが光る一方で、そのセンス故に手抜きをしているように映ることも多く、須藤にいつも怒られている印象だった。

それでも本人は「いつも見られている、目をかけられていると思うと気を抜けなかった」と須藤流の選手操縦術の中で成長してきたことも自覚していた。

野球知識も豊富で、選手とのコミュニケーションを重視し、厳しさと愛情を前面に押し出した指導には原監督の評価も高い。

元木もまた、須藤と同じ調整型のヘッドコーチとしてチームの連覇に力を発揮しているわけである。

補完型か調整型か。監督の性格によって、ヘッドコーチへの要求は変わる。ただ一つだけ言えることは、どの社会でも、強いチーム、強い組織を作っていくためにはナンバー2であるヘッドコーチの存在が大きな鍵を握るということだ。

ヘッドコーチとは、ある意味、日陰の存在である。しかし組織にとっては、陰からトップを補佐できるナンバー2のいることこそが、強さの秘密となるのである。

補完型か、調整型か。監督の性格で決まる

11
どのような選手が控えには求められるのか

オールプロのドリームチームの難しさを痛感したのは、二〇〇六年に行われた第一回WBCでのことだった。

MLBとメジャーリーグ選手会が中心となって野球の世界一を決める大会として始まったWBC。しかし第一回大会は日本ばかりか、主催のMLBに所属する選手も含め認知度がまだ低く、果たしてどれくらい権威のある大会となるのかは未知数だった。

その中で日本代表の監督は当時、ソフトバンクを指揮していた王貞治（現ソフトバンク球団会長）に決定。王はイチロー（当時シアトル・マリナーズ、以下同）や松井秀喜（ニューヨーク・ヤンキース）らメジャーリーグでプレーする選手も招集した真の〝ドリームチーム〟結成の構想を明らかにし、ファンの期待はいやが上にも高まることとなった。

しかし当初から出場に意欲的だったのはイチローだけで、この年からヤンキースと新たに四年総額五千二百万ドル（当時のレートで約六十一億八千八百万円）の契約をした松井は態度を保留。また〇六年からマリナーズでメジャー一年目を迎えることになっていた捕手の城島健司は、その事情を配慮して最初から構想外となった。そうして〇五年十二月には松井の枠を空けたまま、代表二十九選手が発表されたが、直後にその松井が出場辞退を表明。さらにシカゴ・ホワイトソックスでプレーしていた井口資仁（いぐちただひと）も、チームでのポジション争いを理由に出場辞退を申し入れるなど、選手選考は混乱が続いた。

一方、国内組も出場を打診した段階で辞退者が出るなど、開幕に向けた調整時期の大会開催に疑問の声が少なからず出ていたのも事実だ。そうして選出した選手からも阿部慎之助（巨人）が右肩痛で出場を辞退するなど、チーム編成は苦しい状況が続いた。

その中で松井の代役には中日の福留孝介がすんなり決定したものの、王が井口の代役に指名した中日・荒木雅博が、これまた辞退を表明。そうして代役の代役として声がかかったのが、アテネ五輪で代表チームのキャプテンを務めた宮本慎也（ヤクルト）だったのである。

「だって日の丸ですよ。断る理由がないし、断ったらダメでしょう」

代表入りが決まった直後に、代役の代役を受け入れた理由を宮本に直接聞くと、こんな答えが返ってきた。

「王さんが監督になって日の丸を背負うチームが結成される。日本のプロ野球にお世話になっている選手が出場するのは、僕は義務だと思っています」

こうして結成された「王ジャパン」。最終的にメジャーからの参加はイチローとテキサス・レンジャーズでリリーバーとして活躍していた大塚晶則（現・晶文）の二人だけ。国内組は前年に日本シリーズを勝って、アジア選手権でも優勝したロッテから先発の清水直行に中継ぎの薮田安彦ら投手五人、捕手の里崎智也に内野手の西岡剛、今江敏晃と合わせて八選手が選出される異例の布陣となったのである。

　こうして困難の中で結成された「王ジャパン」は、三月三日から日本で行われた第一ラウンドは韓国に敗れたものの二勝一敗で何とか突破。そうして米国での第二ラウンドへと旅立っていったのである。

「オレたちは〝いらん子軍団〟ですから」

　米国での第二ラウンドが始まった直後に、自嘲気味にこう語っていたのは、宮本に谷繁元信（中日）、和田一浩（西武）を加えたベテランの三人組だった。

　実は大会が始まると、この三人を含めた控え選手の出場機会がほとんどなくなっていたのである。

宮本の守るショートは川﨑宗則（ソフトバンク）がレギュラーとしてフル出場に近い形で試合に出ていた。また主戦捕手を務めたのは里崎で、和田の守る外野はイチロー、福留に多村仁（たむらひとし）（現・仁志（ひとし）、横浜）でほぼ固定されていた。そのため三人には先発はおろか、代打や守備固めでも、ほとんどグラウンドに立つ機会が与えられずに試合が進んできていたのである。

大会が行われた三月上旬から中旬にかけては、日本にいればオープン戦の真っ最中で、開幕に向けて最終調整をする大事な時期でもある。しかしただでさえ第二ラウンドが行われる米国では練習場所が限定されて、限られた練習時間しかない。その中で控え選手に与えられる打撃練習の割り当て時間はタカが知れている。三人にとっては、練習もできない、試合にも出られない、員数合わせのような形で帯同している大会となってしまっていた。

そのことを三人は〝いらん子軍団〟と自嘲気味に言葉にしたわけだが、実はそんな投げやりともとれる言葉と、この三人の行動は全く逆だったのである。

「僕らみたいな年寄りが投げた方が、若い選手は緊張感が出るはずですから」と交代で打撃投手を買って出て調整役を務めた。また、練習後の荷物の整理や細々した雑用を率先して行い、チームを縁の下から支える役割を果たしていたのである。

結局、「王ジャパン」は第二ラウンドで米国と韓国に敗れる絶体絶命のピンチに立たされたが、メキシコが米国を破る番狂わせで復活。準決勝に進出すると韓国を六対〇、決勝戦ではキューバを十対六で下して世界一へと駆け上がることになる。

大会を通じて宮本が出場したのは代打と守備固めの三試合で、三打数二安打。第一ラウンドの中国戦に十六点差のついた八回に代打で起用されてそのまま守りについた谷繁は、第二ラウンドの米国戦に先発したのを最後にその後はベンチを温める試合が続いた。そして和田に至っては第一ラウンドで二度、代打に起用されただけでそれ以降の出場機会は一度も与えられなかった。

彼らにとってはずっと苦しい境遇の中での大会だった。

「それでもベンちゃん（和田）は凄いですよ」

大会終了後にこう語っていたのは宮本だ。

「第二ラウンドで韓国に負けたときにベンちゃんは泣いていた。さすがに僕は涙が出なかったですからね。それでもあそこで泣けるベンちゃんは素晴らしいと思いました」

もちろん王の選手起用が間違っていたのではない。勝つための最善の起用の結果、こういう選手が出てくるのは仕方のないことだった。それよりも、偶然にしても控えにこういう選手たちを選んだことが、このチームをより結束の強い組織へと成長させていった。そこがドリームチームの難しさであり、ドリームチームが勝つ組織となるかどうかの、一つのカギでもあるのだ。

ＷＢＣでもオリンピックでも、ただ唯一のミッションは勝つことである。そのために監督はある意味、選手を駒として扱い、必要に応じて起用するしかない。

控えと決めた選手には非情とも思える扱いが待っているのも、こういうチームの一つの宿命なのである。

だからこそ逆に言えば、控え選手に誰を選ぶか。実は日本代表のような〝ドリームチーム〟では、その方がより大事な要素となるのかもしれない。

「王ジャパン」の優勝から三年後の〇九年に行われた第二回大会で、日本代表チームの指揮を執ったのは巨人の監督だった原辰徳である。

「もちろん最初にイチロー（シアトル・マリナーズ）が決まり、岩村（明憲、タンパベイ・レイズ）が決まり、そこから稲葉（篤紀、日本ハム）であり青木（宣親、ヤクルト）やガッツ（小笠原道大、巨人）、ナカジ（中島裕之、現・宏之、西武）といったメンバーが決まっていったわけだけど、同時にすぐに決まったのが岩村の控えのヤス（片岡易之、現・治大、西武）とイチローの控えの亀ちゃん（亀井義行、現・善行、巨人）だった」

原はこういう〝ドリームチーム〟の控え選手の難しさをこう説明する。

「彼らはよっぽどのことがない限り、試合で出番は回ってこない。自分のチームに戻れば、それこそバリバリのレギュラーなのに、このチームに入ったら何かアクシデントが起こったときに試合に出られるだけの控えに甘んじなければならない。その仕事をきちっとこなせる選手を選ばないと、こういうチームはうまく機能しなくなる危険性を孕むことになる。だから野球の技術はもちろんなんだけど、人間性であったり性格であったり、そういうことを考慮して、あの二人というのは僕の中で、かなり早く〝侍ジャパン〟に入ってもらうことを決めた選手だったんです」

ＷＢＣの場合は登録枠が二十八人（〇六年だけ三十人）で、ある程度の余裕を持たせて選手選考ができる。しかし登録人数そのものが二十四人に制限される五輪では、まさに控えも大きな戦力。その選手をどう選び、どう力にしていくかが勝敗を分けるポイントになるはずだ。

「控え選手は一芸に秀でているか、マルチの才能のある選手を揃えた方がいい。

そういう意味でアテネのときはキムタクを招集したんだ」

こう語るのは〇四年のアテネ五輪でヘッドコーチとして「長嶋ジャパン」を指揮した元ＤｅＮＡ監督の中畑清である。

「アテネのときもそうだけど、日本代表に選ばれるクラスというのは、それこそ相手投手の左右とか、そういうことで代打を送るような選手は少ない。そうなると打線の基本は指名打者を含めた九人野球になる。あとは左投手専門の代打だったり、走塁のスペシャリスト、そしてどうしても必要なのが複数ポジションを守れるマルチ選手ということになる」

その役割を任されて「長嶋ジャパン」では一チーム二人までという制限がかかる中で、代表に選出されたのが木村拓也（広島）だったのである。

「本人が一番、驚いたはずだと思います」

こう語っていたのは木村夫人の由美子だった。

木村は〇九年に巨人で現役を引退。翌年から一軍内野守備走塁コーチとなったが、コーチ一年目の一〇年四月二日、マツダスタジアムでの広島戦で、試合前のノック中にくも膜下出血で倒れ、五日後の七日に息を引き取った。享年三十七だった。

「タイトルを取るような選手でもないですし、生え抜きの有名選手でもない。代表に選ばれて、本人が一番驚いていました。ただ、オールスターに監督推薦で選んでくださったのが長嶋監督で、前年の（アジア）予選にも呼んでいただいた。本人は長嶋監督が目をかけて、選んでくれたんじゃないかと、凄く喜んでいました」

木村はもともとは捕手として日本ハムに入団し、広島移籍後に内外野の全てのポジションをこなすプレーヤーとなり、打撃面でもスイッチヒッターとして投手の左右にかかわらず器用に役割をこなすことができる選手だった。長嶋が評価したのは、投手以外の全てのポジションをこなせる、そんなマルチプレーヤーとしての木村だったのだ。

その木村がアテネ五輪で最大のピンチを迎えたのは、本番直前にイタリア・パルマで行った直前合宿でのことだった。練習初日に左太もも裏の肉離れを起こし、日本へ強制送還されるピンチに立たされたのである。

「最後はアイツ（木村）が泣きながら『残してくれ』と頼んできた」

こう振り返るのは中畑だ。

最終的にはこの木村の直訴によって、首脳陣も入れ替えをせずに当初のメンバーでアテネに向かうことを決定したが、裏側ではちょっとした騒動が起こっていた。

実は木村が肉離れを起こした時点で、現地からは中日の井端弘和の代替え招集をリクエストしていたのである。しかし井端の所属する中日は、すでに投手の岩瀬仁紀と外野手の福留を出している。一チーム二選手までという規定を盾に、中日が井端派遣を拒否してきた。そのため中畑ら首脳陣は、肉離れをしている木村を残さざるを得なかったという裏事情があったわけだ。

そうしてチーム残留が決まった木村は、不自由な足を引きずりながら、それでもチームのために献身した。

登録上は長嶋を監督として中畑以下規定の三人のコーチまでしか登録できなかったために、攻撃中は中畑がベンチで野手担当コーチの高木豊（たかぎゆたか）が三塁コーチャーに立つが、残りは投手担当の大野豊（おおのゆたか）だけになる。一塁コーチャーに立つコーチがいなくなってしまうのだ。

そこで木村が一塁コーチスボックスに立った。すると木村は相手チームの投手のビデオを観まくって、牽制の癖なども頭に入れ、走者の走塁の補助に力を注いだ。また練習でブルペン捕手が足りないときには、自らマスクを被って、投手の球を受けたりもした。

「ケガをした選手を抱えて戦うっていうのは、正直言ってキツかった。でもキムタクはグラウンドには立てなかったけど、そうやってチームの中で動けないなりに役割を果たしてくれた」

中畑の評価だった。

そうやって裏方に徹しながら、ケガの治療をしていた結果、木村はカナダとの三位決定戦には「八番・左翼」で先発出場したのである。実は金メダルを逃すことが決まったオーストラリアとの準決勝で、最後の打者となった谷が、一塁に駆け込んだ際に左足の靭帯(じんたい)を損傷して戦線離脱を余儀なくされてしまったのである。

その代役として捕手も内野も、そして谷の守っていたレフトも守れる木村が先発に抜擢された。そして木村はその試合の第二打席でセンター前に二点タイムリー安打を放つと、八回にはレフトオーバーの二塁打も放ってみせた。

アテネ五輪の「長嶋ジャパン」は結局、期待された金メダルを手にすることはできなかった。しかし三位決定戦ではカナダに十一対二で圧勝、二大会ぶりのメダルとなる銅メダルを手に帰国することができたのである。

「日本代表のようなトップチームは個の力を引き出せなければ強い組織は作れ

ない。しかし自己犠牲の精神がなかったら、いくら強い組織でも脆さが出てしまう」

こう語るのは原だった。

チーム事情でほとんど出場機会を与えられなくても、チームの敗北に心から涙することのできる和田がいるのか。それともケガをしてグラウンドに立てないかもしれないが、涙を流してチームへの貢献を誓った木村がいるのか。東京五輪を戦う「侍ジャパン」でも、どんな働きをする控え選手がいるかが、金メダルへの隠れたポイントになるのかもしれない。

野球の技術はもちろん、自己犠牲できる人間性も

12

どうしてソフトバンクはここまで強いのか

二〇二〇年の日本シリーズはソフトバンクの強さばかりが際立つ結果となった。第2章ではそのソフトバンクの監督・工藤公康に焦点を当て、リーダーとしての資質とその源流を考察したが、今回は「福岡ソフトバンクホークス」という球団、組織の強さの秘密を解明していきたい。

日本シリーズではソフトバンクが四連覇を達成しただけでなく、一一年に中日を破って日本一となったことなどを合わせると、この十年間で七度のシリーズ制覇を達成している。しかも強いのはソフトバンクばかりではなく、この十年間でセ・リーグの優勝チームが勝ったのは一二年の巨人だけ。残りの九回はいずれもパ・リーグのチームが優勝するという、異例の事態が起こっている。

このリーグ間格差のデータは他にもある。

〇五年からスタート（二〇年は新型コロナウイルスの感染拡大で開催中止）したセ・パ交流戦では、一九年までの十五年間でセ・リーグが勝ち越したのは〇九年の一度のみ。通算成績でもパ・リーグの千九十八勝に対して、セ・リーグは九百六十六勝と大きく水をあけられる結果となっている。

一九年から二年連続で日本シリーズで敗れた監督の原辰徳をはじめとする巨人関係者の間ではこの格差が大きな問題として認識され、そこで巻き起こったのが指名打者制度による投打のレベルアップという議論だった。

「人気のセ、実力のパ」と言われたかつてのプロ野球では、人気カードの巨人戦を中心に集客力の高かったセ・リーグに対して、パ・リーグはスタンドに閑古鳥が鳴く時代が長く続いていた。そこでパ・リーグは人気回復策として前後期の二シーズン制など様々な新機軸を打ち出し、それを実行してきている。その中の一つとしてMLBのア・リーグに倣って一九七五年に導入されたのが指名打者制度（DH制度）だった。

野球の華はホームラン。DH制度を導入することで、豪快な打ち合いの試合を演出し、野手のスターを輩出できる環境を作る。そうして華々しい試合を集客に結びつけようという算段だった。結果的にそれが成功したかどうかは疑問の残るところだが、確かにDH制度には選手の育成、チーム強化という点でメリットはあったとも考えられる。

投手が打者として打席に立たないことで、投手に打順が回っても代打が送られるケースがなくなり、より長いイニングを投げる機会が増えた。また厳しい内角攻めの結果、死球をぶつけても、投手が打席に立たないことで報復の心配がない。そのため思い切った内角攻めができるのも投手側の利点だ。一方、打者はそういう投手を打ち崩すために体力的、技術的な向上が求められるようになって、それが結果的にリーグ全体のレベルアップにつながっていると言われている。

もちろんＤＨ制度による野球の違い、そこに起因する選手の育ち方の違いが、現在のリーグ間格差の一つの原因になっていることは否定できない。ただ、ＤＨ制度が導入されたのは一九七五年で、すでに四十五年以上の歴史がある。ところが同制度下でリーグ間格差が顕著に出始めているのは、ここ十年前後のことでしかなく、これほどまでに圧倒的な差がついた理由はそれだけでは説明できないのも事実だ。

それではなぜ、これほどまでにリーグ間の格差が生まれ、その中でパ・リーグの、中でも特にソフトバンクが抜きん出た存在になり得たのか。

リーグとして格差を生む要因の一つには、変化することへの決断力の差がある。指名打者制度の導入もそうだが、新しいものにチャレンジする精神がパ・リーグは旺盛なのに対し、セ・リーグは既得権益を守ることを優先した守旧派で、新しいものに積極的に先行投資を行うことを躊躇する傾向がある。

例えばビッグデータ化が進むプロ野球の世界で、革新的なデータ収集の方法となっているものに「トラックマン」システムがある。

トラックマンシステムは軍事用のミサイル追尾システムから生まれた技術を転用した弾道測定器で、二〇〇〇年代にＭＬＢで採用されるとあっという間に普及していった。

このトラックマンシステムを日本で最初に導入したのも、パ・リーグの楽天だった。

このシステムでは投手の投球スピードだけでなく、スピン量や変化球の変化割合、角度などが解析できる。また打者の打球の速度や回転数、打球角度なども瞬時にデータとして取得できるようになる。そうした技術的な数値だけでなく、例えば投手のボールの軌道とストライク、ボールの判定を集計することで、あるアンパイアは内角がボール半個分だけ甘い判定になりやすいなどの傾向が出されて、それを投球の組み立てに利用するといった活用法もある。

楽天が同システムを本拠地に設置したのが一四年で、翌年にはソフトバンクなどパ・リーグのいくつかの球団もこれに追従した。セ・リーグでは一五年にDeNAが導入したが、巨人などは楽天から遅れること三年後の一七年に本拠地に設置し、本格的なデータ収集をスタートしている。

結果的には一八年には広島を除く十一球団が同システムを採用。トラックマンで得たデータは、チーム運営だけでなく選手の育成などにも不可欠なものとなった。

そしてMLBでは、さらにその先のデータ収集システムとして「スタットキャスト」という仕組みがある。

スタットキャストはトラックマンと複数の光学高精細カメラを組み合わせた画像解析システム「トラキャブ」を使用して、グラウンド上の選手の動きとボールの方向や速度などの動きをデータ化。それをもとに分析、数値化するMLB独自のデータ解析システムだ。このシステムを使えば、例えば打者が得点圏に走者を置いて安打を打った際に、守備側の選手がどのようなコースで打球に追いつき、どれくらいのコースロスをしているのか、またバックホームの返球はどれくらいのスピードでどれくらい逸（そ）れたか、などということが瞬時にデータ化される。また得点圏の走者が、どれくらいのリードからどの瞬間にスタートを切って、どう走塁してホームに到達したかもデータとして解（わか）る。

基本的にはグラウンド上で起こったプレーに関わる全ての動きを網羅して、それを数値化できる最新のシステムだ。

このビッグデータ化の効果として最も有名なのは、ＭＬＢの「フライボール革命」という打撃技術の新しい考え方である。

スタットキャストで集められた様々なデータから、最も長打になりやすい打球角度を分析。その結果、打球速度が九十八マイル（約百五十八㎞）以上なら、角度二十六度から三十度の間、百十六マイル（約百八十七㎞）以上なら八度から五十度の角度で飛び出した打球が最も長打となる確率が高いというデータが出て、それらの角度は「バレルゾーン」と呼ばれるようになった。いままでの低いライナー性の打球を打つ打撃から、アッパー気味のスイングでフライを打ち上げ「バレルゾーン」を狙った打撃へと打撃技術の変革が進む背景には、このシステムの存在があった。

もちろん導入には莫大な費用がかかるが、MLBでは一五年までに全三十球団のスタジアムにこのシステムが完備された。その上でテレビなどの中継でも瞬時にそこから情報が画面に表示されるなど、ファンサービスという視点でも活用されている。

このスタットキャストに近いシステムを現在、日本で導入しているのはパ・リーグのソフトバンクだけである。

ソフトバンクが導入したのはフューチャー傘下のライブリッツが開発した「野球選手トラッキングシステム」で、「スタットキャスト」同様に球場のネット裏に設置したカメラでグラウンド全体を撮影し、AIがグラウンド上の最大十三人の選手について守備側と打者、走者などを識別して記録。その動きを全てデータ化するシステムだ。

これによってこれまでボールのみを追っていたトラックマンの機能を超えて、選手の動きも把握。そのデータは選手の技術を向上させていくための指導などにも応用できるようになった。

主砲の柳田悠岐らは前述した「フライボール革命」によって伝えられた「バレルゾーン」を狙ったアッパースイングを取り入れるようになって、パワーアップ。それが日本シリーズでパワーを見せつけたソフトバンク打線の土台となっていったのである。また二〇年シーズンに十三試合連続盗塁成功のプロ野球新記録を樹立した周東佑京（しゅうとうきょう）の盗塁術なども、このトラッキングシステムから得たスタートのデータなどが活用された結果だった。

ソフトバンクではこのライブリッツの「トラッキングシステム」を一軍の本拠地だけではなく、二軍の本拠地「タマホームスタジアム筑後（ちくご）」にも設置。ファーム段階から個々の選手のプレーの分析、データ化を行って、それをもとに育成とチームの底上げを行ってきているところがミソだった。

そしてソフトバンクの強さを語るもう一つのキーワードに、三軍制度の存在がある。

ソフトバンクが三軍制度を導入したのは、一一年のことだった。当時は一軍の本拠地からほど近い雁（がん）の巣に二軍施設を持っていたが、一六年には現在の筑後市に約五十億円の費用を投じて「ＨＡＷＫＳベースボールパーク筑後」を建設。ファーム施設の全部を移転している。

ここに二軍が使う人工芝の「タマホームスタジアム筑後」と三軍用となる「ホークススタジアム筑後第二」の二つの球場を有し、室内練習場に選手寮、クラブハウスなどの必要施設が集まっている。

三軍は十二球団が持つ二軍組織からも外れるために独立リーグや大学、社会人、ときには他チームの二軍を相手に年間七十試合程度をこなしてきている。

現在、他チームで三軍を設けているのは巨人と広島に西武の三チームで、広島も一定程度の成果を出すなど、埋もれていた若手選手の発掘と育成という面では大きな効果があることが証明されてもいる。

一方で同じように三軍制度を導入している巨人は、十二球団の中でもいち早く育成選手枠を利用した選手の発掘に力を注いでいたチームだった。〇九年にはロッテとの連合チームとなる「シリウス」を結成。一〇年には実質的な三軍に当たる「第2の二軍」を立ち上げている。しかし、一一年オフに一軍コーチ人事を巡り当時の清武英利（きよたけひでとし）代表兼GMが親会社の読売新聞グループ本社代表取締役会長兼主筆だった渡邉恒雄と衝突。いわゆる〝清武の乱〟で球団を去ったことを契機に、この育成システムが一二年限りで解体されたことが大きな痛手となってしまった。

改めて一六年に三軍として再結成されたが、その三年間の空白期間はチーム作りの中で見過ごせないブランクとなった。

その間もソフトバンクでは千賀滉大、甲斐拓也、牧原大成（いずれも一〇年育成ドラフト入団）、石川柊太（一三年育成ドラフト入団）、周東佑京（一七年育成ドラフト入団）ら育成契約から三軍を経由してきた若手選手を、大量に一軍に送り込んできている。また三軍での育成とは少しニュアンスが違うかもしれないが、日本シリーズでセットアッパー投手として活躍したキューバ出身のリバン・モイネロも育成契約からスタートした選手の一人だった。

ソフトバンクと言えば他チームとのマネーゲームを制してのフリーエージェント選手や外国人選手の獲得など、ともすると豊富な資金力ばかりに目が行きがちだが、補強と育成のバランスこそがこのチームの強さの根源にはある。その上でチームを強くするために豊富な資金を惜しげもなく投じて、ファーム施設を作り上げ、最新のトラッキングシステムを導入している。

目の前と将来の両方を見据えた視点と資金の投入が、現在の最強チームの礎となっていることは間違いないだろう。

そしてそうした資金投入を実現しているのが、独立採算制の球団経営とチーム運用のプロ化を実現したフロント組織にある。

ソフトバンクがダイエーから球団を買収したのは〇四年オフだった。チームはダイエー時代の〇三年にリーグ優勝を果たしていたものの、そこから六年間、優勝から遠ざかり、〇八年には最下位に転落する危機的状況を迎えた時期もあった。

その一方で一二年には八百七十億円を投じて現在の本拠地・ＰａｙＰａｙドームを買収。これによって年間約五十億円と言われた球場使用料を削減すると同時に、スタジアム収入を確保し、球団としてのビジネスチャンスを広げていった。一九年の観客動員は二六五万六一八二人。この数字は阪神（三〇九万一三三五人）、巨人（三〇二万七六八二人）に次ぎ十二球団で三番目で、パ・リーグだけではなく球界の人気球団へとのし上がっている。その人気を背景に球場の入場料収入や売店販売にグッズ販売、放映権収入など安定した収入源の確保に成功し、二〇年二月期の決算では売上高は三百二十四億九千三百万円で前年比七億円余の増収。経営利益も二十億円を超える数字を叩き出した。

そうした豊富な資金力を下支えに「必要なときに必要な投資は惜しまない」（後藤芳光代表取締役社長CEO兼オーナー代行）とチームの強化に投資していく。球団経営の主たる支出の一つである選手の推定総年俸は約四十二億円（一九年オフ契約分、日本プロ野球選手会集計、外国人選手は除く）で十二球団でダントツ。二位の巨人の約三十七億円（同）と比べると約五億円の開きがある。そうした投資に躊躇ない点も、ソフトバンクの経営姿勢の表れるところだ。

その一方でチーム作りも編成の専門化・プロ化を進めて、短、長期的な二つの視点から強化に取り組めている。だから翌年のための補強はするが、ドラフトなどの育成面では三年先、五年先を睨んだ獲得を実行できる。

二〇年十月二十六日に行われたドラフト会議で、ソフトバンクは近畿大の内野手・佐藤輝明をくじで外すと一巡目でベテランの松田宣浩の後継者と言われる花咲徳栄高校の内野手・井上朋也を指名。二位以下でも投手、捕手、内外野手各一人ずつ、全て高校生の選手を指名と、将来を睨んだ補強を行った。

その一方で日本シリーズ終了後には球団OBで日本代表監督の経験もある小久保裕紀のヘッドコーチ就任を発表。四年連続の日本一を達成しても、そこに安住するのではなく新しい場所を求めて絶えず動き続けている。

シーズンの結果に一喜一憂し、結果次第で親会社が編成面まで口出しをする。その結果、補強の方向性が目まぐるしく変わってしまうチームが多い中で、経営と編成のプロ化を実現して長期的な視野の中でチーム作りができている。その一貫性の確保こそが、ソフトバンクというチームの強さを生み出す原点となっているのである。

補強と育成のバランス。経営と編成の専門化も

おわりに

稲葉篤紀監督率いる日本代表は東京五輪で、なぜ勝たなければならないのか？

一つの答えは二〇〇三年十一月に札幌ドームで行われたアテネ五輪アジア最終予選（アジア野球選手権）での、日本代表監督・長嶋茂雄の言葉の中にあるように思う。

このとき長嶋は初めてプロのプレーヤーだけで結成されたドリームチーム「長嶋ジャパン」を率いて、初戦の中国を十三対一と大勝すると第二戦では台湾を九対〇と下し、第三戦も宿敵・韓国を二対〇で破って三戦全勝で五輪本戦への出場権を手にした。

激闘を終えた札幌ドームのロッカールーム。選手たちは勝利を祝うシャンパンファイトを行い、ささやかな祝勝会が催された。そこで挨拶に立った長嶋が日本代表の選手たちにこう語りかけたのだった。

「キミたちがこれからのプロ野球を支えていくんだ。だから大切なのはこの大会だけじゃない」

長嶋は狭いロッカールームを見回すと、選手たちにこう諭すような口調で語りかけた。

「これからはみんなが未来の野球の伝道師になれ！」

視線の先にはキャプテンの宮本慎也（当時ヤクルト、以下同）がいた。その周りには上原浩治（巨人）、松坂大輔（西武）、和田毅（ダイエー）、三浦大輔（横浜）に城島健司（ダイエー）、高橋由伸（巨人）、和田一浩（西武）らその後、日米球界で活躍し、文字通り日本の野球界を支える存在となる選手たちが勢揃いしていた。

彼らに向かって、長嶋は「日の丸を背負ったいまからは単なるプレーヤーではなくなる。これからは野球というスポーツの奥深さ、そしてそのスポーツに携わる人間の素晴らしさを伝える伝道師にならなければならない」という新しい役割を課した。そうして一人一人がその役割を自覚してグラウンドに立たなければならないと説いたのである。

それからわずか四か月後の〇四年三月四日に長嶋は脳梗塞で倒れ、アテネ五輪の本大会でこのドリームチームの指揮を執ることはかなわなかった。

しかしあの札幌ドームの狭いロッカールームで語りかけた「伝道師たれ」という言葉は、まさにその後もずっと日本代表のユニフォームを着た監督、コーチそして選手たちが背負っていかなければならない使命だったはずなのである。

「ただ勝つ、ただいいプレーをするというだけではない。自分たちのどういう姿をファンの人たちに見ていただくか。そのことを改めて意識するきっかけをいただいたような気がします」

宮本は長嶋の言葉をこう振り返っている。

長嶋もまた、現役時代からずっとそのことを意識し、そのためにはどうあるべきかを追い求め、人知れず努力を積み上げてきた伝道師だった。

それから二十年近くの月日が経った。

野球人気の低迷が叫ばれ、全国の中学校では野球部員の数は最盛時の半数をも下回り、下降線の一途を辿っているとも聞く。

それでも野球はやっぱり日本人にとって特別なスポーツであり、エンターテインメントであるはずだ。

だからこそ日本代表のユニフォームを着る選手たちは、その野球の素晴らしさを伝える伝道師としてグラウンドに立たなければならない。その使命を背負うからこそ、「侍ジャパン」もまた、東京五輪で金メダル目指して勝ち抜かなければならないのである。

本書は二〇二〇年七月から『小説幻冬』に連載したものに、加筆しまとめたものである。連載の企画、担当から書籍化まで全ての面倒をみてくださった『小説幻冬』の長濱良さんに改めてお礼を申し上げたい。

本書は、『小説幻冬』二〇二〇年七月号～二〇二一年六月号に連載された「勝つ組織論」を改題し、加筆・修正・再構成した作品です。

JASRAC 出 2104553－101